Single malt en blended whisky

Single malt en blended whisky

door
Daniel Lerner

KÖNEMANN

This book was designed and produced by
Black Dog & Leventhal Publishers, Inc.
151 W. 19th Street
New York, New York 10011

Oorspronkelijke titel: Single Malt & Scotch Whisky

© 1998 Nederlandstalige editie:
Könemann Verlagsgesellschaft mbH,
Bonner Straße 126, D-50968 Keulen

Productie Nederlandstalige editie: TextCase, Groningen
Vertaling: Liesbeth Machielsen (voor TextCase)
Zetwerk: Niels Kristensen
Omslagfoto's: Robert M. Rothberg en The Scotch Malt
Whisky Society
Montage: Reproservice Werner Pees
Productiecoördinatie: Ursula Schümer

Druk- en bindwerk: Dürer Nyomda, Gyula
Printed in Hungary

10 9 8 7 6 5 4 3 2

ISBN 3-8290-0420-6

Onze dank gaat uit naar de volgende mensen, die ons enorm hebben geholpen:

James Salzano
Dennis Milbauer
Cheryl To
Chris Cannon
Pamela Horn
Jonette Jakobson
J.P. Leventhal
Justin Lukach
Herb Lapchin, Park Avenue Liquor Shop, New York
Carolyn Schaffer
Robert M. Rothberg, M.D.
Alan Shayne
The Scotch Malt Whisky Society
Matt Gross, John Gross en Company Importers
Steve Meyers en Jeff Pogash, Schieffelin & Somerset
Joel McCabe, Heublein
Anne Riives, Bowmore
Ed Perez, Stock Distillerie
Dick Claftin, Remy Amerique
Marvin Shadman, Barton Brands
Jennifer Crowl, Seagrams
Bob Kopach, Jim Beam Brands
Dan Dabblet, White Rock Distributors
Pat Dwayne, European Beverage Company
Chris McCrory, Sazerac
Tom DeLuca, Austin Nichols
Michael Shaw, Paramount Brands
Caitlin Connelly, Kratz & Co.
George Acevedo, Peerless Distributors

Speciale dank aan
JUdson Grill
52 West 52nd Street
New York City

Inhoud

Inleiding...1

Het distillatieproces:
druppel voor druppel 2

Waarom Schotse whisky? 20

Regionale magie 23

Single malt – iets aparts 33

Schoonheid komt met de jaren 36

Botttelen 41

Het echte proeven 44

Zo gebruikt u dit boek 51

Overzicht single malt whisky's 55

Blended whisky's..170

Glossarium 178

Adressen van
distilleerderijen/producenten.....................181

De Glen die door de Schotse Hooglanden stroomt.

Inleiding

De Schotse Hooglanden rond het jaar 500: een schitterend, woest landschap met glooiende heuvels, uitgestrekte heidevelden en turfrijke grond, heldere, kabbelende beekjes en stroompjes, velden met rijpe, goudkleurige gerst die zachtjes wiegt in de zomerbries. Een groep Ierse monniken komt op bezoek. Ze beheersen een geheim procédé dat ze zelf hebben uitgevonden of tijdens een bezoek aan het Verre Oosten of India of Griekenland hebben opgepikt. "Alles om jullie heen," zegt een van hen, "zullen wij veranderen in levenswater." (Of iets van die strekking.)

Het procédé om een gegiste, licht alcoholische drank te maken was ongetwijfeld allang bekend. Maar die drank leek in geen enkel opzicht op het bier dat wij nu drinken! Dat zag er 1500 jaar geleden uit als verdund alcoholisch meel. En plotseling was er iemand die dit 'bier' in licht, puur, smaakvol, sterk alcoholisch spul veranderde. Levenswater – zeg dat wel!

Het distillatie-proces: druppel voo

In het Latijn staat 'distilleren' voor druppelen of sijpelen. Alcohol heeft een lager kookpunt dan water, en dit gegeven is de basis voor het distillatieproces. Verdampte alcohol komt in buizen terecht die door koud water lopen, waardoor de damp weer condenseert en vloeibaar wordt. Maar dit is wel een uiterst simpele beschrijving van een eeuwenoud proces en het sublieme product dat eruit voortvloeit. Het maken van Schotse whisky gaat eerder zo:

Vloermouten gebeurt nog maar zelden, maar bij Benriach werken nog steeds vloermouters. Ze keren de mout tijdens de kieming, om te voorkomen dat de mout gaat plakken.

ruppel

1. Oogst wat rijpe gerst.

2. Drenk deze een paar dagen in bronwater.

3. Spreid de gedrenkte gerst uit op een groot oppervlak –zoals de vloer van een schuur– en schep hem 8 à 10 dagen dagelijks om met een grote, platte, houten schep. Waarom? Omdat we willen dat de gerst gaat kiemen, oftewel uitlopen. In elke gerstkorrel zitten enzymen die zetmeel omzetten in suiker. Later meer over hoe deze suikers worden omgezet in alcohol.

4. Spreid deze natte, net kiemende gerst uit op de vloer van een grote oven, zodat hij mout. (Als u een distilleerderij in Schotland bezoekt, kijk dan eens naar de moutschuur – dat lage gebouwtje met die pagodevormige ventilator op het dak.) Stook met turf een vuurtje onder de vloer; dat

De pagode van Benriach.

De moutoven waarin de gemoute gerst wordt gedroogd.

Ook steenkool wordt wel als brandstof gebruikt.

brandt uitstekend. Hiermee voorkomt u dat de gerst verder kiemt. Een leuke bijkomstigheid is dat brandende turf (die bestaat uit sterk samengeperst organisch materiaal) sterk rookt. Die rook dringt door in het graan en geeft het eindproduct een heerlijk rokerige, turfachtige smaak.

5. Maak het graan schoon en maal het fijn in de moutmolen.

6. Schep de mout in een grote kuip en giet er kokend water bij. Het water bevat veelal sporenelementen en is vaak ook 'turfachtig', wat ook weer bijdraagt aan de smaak. Het zetmeel dat nog in de mout zit, wordt omgezet in suiker, die vervolgens wordt opgelost. Herhaal dit procédé van heet water toevoegen en afgieten een paar keer. Nu hebt u 'wort', een zoete vloeistof.

Strathisla: de gebouwen staan er nog, maar de distilleerderij ligt stil.

*The Macallan: de distil-
leerderij, de kuiperij en
de opslagplaats.*

'Mill feed' staat er op de stortkoker van de moutmolen. De gemoute gerst wordt fijngemalen voordat er kokend water bij komt.

7. Giet het vocht af in een grote, diepe houten kuip en voeg biergist toe. Veel actie de komende 2 à 3 dagen: koken, stomen en schuimen. Er vindt gisting plaats. Even terug naar het jaar 500: toen wist iedereen hoe dit werkte, omdat men op deze manier ook bier maakte.

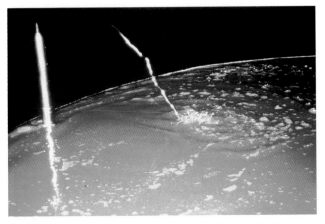

Gemoute gerst wordt in de moutkuip met kokend water gemengd, waarna een stroperige vloeistof ontstaat ('wort').

Als het wort is afgekoeld, gaat er gist bij in de washback of gistkuip.

8. Maar vanaf nu loopt het anders: vul een zware stookketel met de gegiste vloeistof, die inmiddels 5-9% alcohol bevat en *wash* wordt genoemd. Dek de ketel goed af. Zet hem boven een kolenvuur. Uit het deksel van de ketel steekt een tuit die uitloopt in een gekrulde koperen buis. De krul wordt meestal in een vat met koud water gedompeld (of er wordt een andere constructie bedacht – zolang

Houten washbacks zijn klassieker dan stalen kuipen.

er maar koud water over de krul stroomt). De *wash* kookt, de damp stijgt op en komt in de tuit terecht en daarna in de krul, waar het koud is. Daardoor condenseert de damp, die oliën, smaken, esters, alcohol, water en enkele andere zuivere en minder zuivere bestanddelen bevat. De gecondenseerde vloeistof wordt opgevangen in een bak. Als alle *wash* in de ketel is gekookt, verdampt, gecondenseerd en opgevangen, maakt u de ketel schoon, steekt u het vuur weer aan en begint u opnieuw.

9. Na deze eerste distillatie hebt u een vloeistof die de *low wines* wordt genoemd en die 20-25% alcohol bevat. Om de smaken en de alcohol van deze vloeistof te zuiveren en concentreren, begint u aan een tweede distillatie. Uit ervaring weet u dat het spul dat nu als eerste uit de buis druppelt, de 'voorloop', nog steeds behoorlijk onzuiver is en bepaald niet lekker. Vang het op en bewaar het om met de volgende lading mee te distilleren. En dan komt eindelijk het middendeel, waarvoor u zo uw best hebt gedaan. Tot slot komt nog de naloop, die net als de voorloop onzuiver is en met de volgende lading wordt meegedistilleerd.

De Lowland-Glenkinchie-distilleerderij.

10. Meng een beetje kruit (echt waar) met een scheutje whisky en steek dit aan. Ontvlamt het niet, dan is het spul te zwak; ontploft het, dan is het te sterk. Brandt het gelijkmatig, dan is het 'proef'.

11. Giet de kleurloze whisky in vaten. Verkoop het leeuwendeel van de productie aan whisky-handelaren. Zij botteler de whisky naar behoefte en verkopen hem zo uit het vat (zonder rijpen) aan Jan-met-de-pet en na een paar jaar rijpen aan

De Glen Grant Highland-distilleerderij: in grotere ketels wordt een lichtere whisky geproduceerd.

Macallan verhit kleine ketels direct boven het vuur voor een elegante, intense smaak.

de rijkelui. Natuurlijk houdt u ook wat voor uzelf. Of we nu terugdenken aan 1494, toen we de eerste schriftelijke verwijzing vonden naar de aankoop van gemoute gerst voor de productie van Aqua Vitae, of aan 1690, toen er brand woedde in Ferintosh, de eerste distilleerderij met een officiële naam, of aan het jaar 1932, toen de Amerikaanse Drooglegging werd opgeheven, of aan de recente overname van Macallan door de

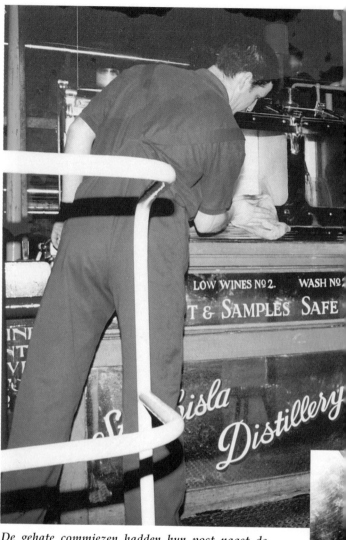

De gehate commiezen hadden hun post naast de spirit safes. Nu worden die onderhouden door werknemers van de distilleerderij.

Japanse drankgigant Suntory – in ongeveer 500 jaar is het distillatieproces in wezen niet veel veranderd.

SAMPLES   LOW WINES Nº1.   WASH Nº1.

Nº1. SPIRIT & SAMPLES SAFE

Established 1786
Keith

No 3 SAFE

Nº 3
WASH STILL

R. G. ABERCROMBIE & CO LTD

*H*et distillatieproce

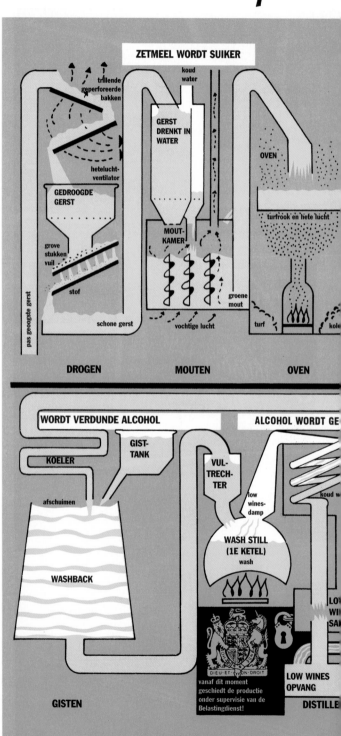

ZETMEEL WORDT SUIKER

koud water

trillende geperforeerde bakken

GERST DRENKT IN WATER

OVEN

heteluchtventilator

GEDROOGDE GERST

turfrook en hete lucht

grove stukken vuil

MOUT-KAMER

stof

groene mout

pas geoogste gerst

schone gerst

vochtige lucht

turf   kole

DROGEN   **MOUTEN**   **OVEN**

WORDT VERDUNDE ALCOHOL   **ALCOHOL WORDT GE**

KOELER

GIST-TANK

VUL-TRECH-TER

low wines-damp

koud w

afschuimen

WASH STILL (1E KETEL)
wash

WASHBACK

LOW
WI
SA

DIEU·ET·MON·DROIT

LOW WINES OPVANG

vanaf dit moment geschiedt de productie onder supervisie van de Belastingdienst!

GISTEN   **DISTILLE**

18

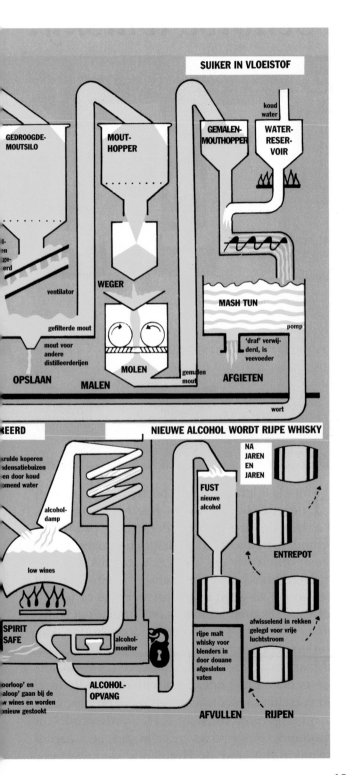

Waarom Schotse whisky?

H et distillatieproces is boeiend, vooral voor degene die wil weten hoe het is ontstaan. Hoe hebben onze voorouders deze productie-methoden bedacht? Het distillatieproces is het meest efficiënte en afdoende bewijs van de vindingrijkheid van de mens. In feite zou dit verhaal net zo goed over verf, benzine of brand-stof voor raketten kunnen gaan, omdat het basis-principe net zo goed voor andere stoffen kan worden gebruikt.

Maar waar komt whisky dan precies vandaan? Hoe is deze prachtige, poëtische nectar die in al zijn verschijningsvormen even mooi en bijzonder is, nu eigenlijk ontstaan? Het antwoord: uit Schotland, om precies te zijn uit een aantal streken in dat land: de Highlands, de Lowlands,

Islay, Campbeltown en de eilanden, oftewel Island. Sommige streken zijn nog onderverdeeld: de Highlands omvatten de Northern Highlands, Speyside, de Eastern Highlands en Perthshire, en Island omvat Skye, Mull, Jura en Orkney.

Aan de geografische ligging kunnen we al afleiden wat deze drank zo verrukkelijk maakt. Maar er zijn meer factoren: de hoeveelheid (en kwaliteit) turf die voor het mouten is gebruikt; het mineraalgehalte en de smaak van het water dat een distilleerderij gebruikt; de nabijheid van de oceaan; de gerstsoort; de mate van kieming en de intensiteit van het mouten; de stijl, vorm en algemene toestand van de ketels; de ervaring van de *still master* en, heel belangrijk, het type fust waarin de whisky rijpt.

En laten we vooral ook de feeën, de hout- en watergeesten, de legendarische figuren en talloze andere mythologieën die Schotland en de whiskybranche bevolken, niet vergeten.

Macallan houdt precies bij welke whisky's worden gehuwd.

Regionale magie

In algemene zin hebben de whisky's uit een bepaalde streek gemeenschappelijke kenmerken.

Highlands/Speyside Als de Schotten over de Highlands spreken, bedoelen ze het bovenste tweederde deel van Schotland. Alles dat wordt geassocieerd met Schotland op het gebied van douane, taal en zelfs de Schotse ruit, komt hier vandaan. Langs de rivier de Spey, die door de Highlands stroomt, staan heel veel distilleerderijen – vandaar dat Speyside een aparte regio is geworden. De whisky's uit deze streek zijn vaak zoet, helder, vrij subtiel en gelaagd met uitgesproken noten van fruit en honing.

De rivier de Spey vormt het kloppende hart van de whiskystreek de Highlands. Dit water is beroemd geworden door whisky en zalm.

Een bezoek aan de Highlands is altijd betoverend, vooral bij de Glen Grant-distilleerderij. Een wandeling door de pas gerestaureerde tuin wordt bekroond met een slokje van de allerbeste whisky. (Alléén de directeur heeft de sleutels van deze kluis.)

De malt whisky-streken van Schotland

Campbeltown

Highland/
Speyside

Islands

Islay

Lowland

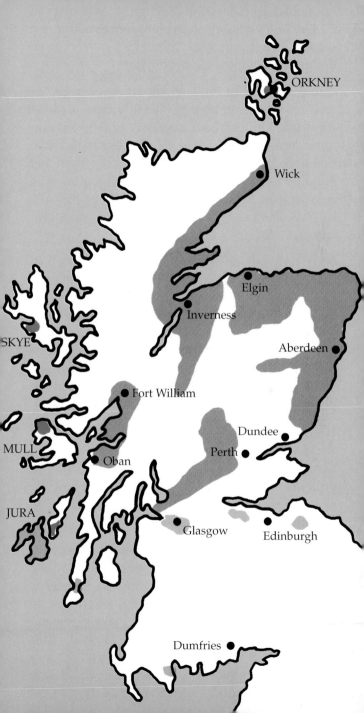

Het woeste landschap en strenge klimaat van het noordelijke deel van de Highlands is een van de redenen waarom dit gebied dunbevolkt is. De whisky's hier zijn vaak minder zoet, sterker en voller dan de Speyside-producten.

Campbeltown In deze streek waren vroeger de meeste stokers gevestigd, maar vanwege over-productie en onfrisse zakelijke praktijken ont-stond een negatief beeld. Nu er nog maar twee distilleerderijen over zijn, is het wat bizar om 'het karakter' van de whisky's uit Campbeltown te omschrijven. Ik kan wel zeggen dat Springbank, een van de twee, uitzonderlijk goede whisky pro-duceert.

Islay Islay (spreek uit 'Ailaah') ligt aan de zuid-kust van Schotland en kijkt uit op Noord-Ierland. Hier komen whisky's vandaan die direct te herkennen zijn aan hun intensiteit en opvallende smaakprofiel. Ze worden meestal omschreven als zilt, turfachtig, zeewierachtig en medicinaal. Voor sommigen is de intensiteit iets te groot, maar een beetje liefhebber heeft minstens één favoriet uit deze streek.

Islands Skye, Mull, Orkney en Jura. Hoewel de whisky's qua karakter uiteenlopen van de sterk turfachtige, zilte Islay-stijl tot de krachtiger, vollere Northern Highlands-stijl, hebben ze allemaal een rookaroma en -smaak en voelen ze olieachtig aan in de mond.

Lowlands Dit is de meest geïndustraliseerde en dichtst bevolkte streek van Schotland. De meeste whisky's worden gebruikt voor blends, hoewel er de laatste jaren meer individuele bottelingen te krijgen zijn. De whisky's zijn in het algemeen droog met een nogal vluchtig, alcoholachtig karakter.

De Fransen geloven in het begrip *terroir*, de specifieke kenmerken van een bepaalde plek, of anders gezegd: een gevoel van plaats. De

Uitzicht op het stadje Craigellachie vanuit de Macallan-distilleerderij.

Turf wordt niet alleen voor de whisky gebruikt. Hier ziet u een turfvuurtje in The Vaults, waar The Scotch Malt Whisky Society is gevestigd.

Chardonnay-druif kan overal ter wereld worden geteeld en voor wijn gebruikt, maar, zo zeggen de Fransen, alleen Le Montrachet kan 'ontstaan' op die specifieke 7,5 hectare grond in de dorpjes Puligny en Chassagne-Montrachet, in de Côte de Beaune, in de Côte d'Or en in Bourgondië. Zou dit begrip *terroir* misschien verklaren waarom Aberlour zo anders smaakt dan Tamdhu? Of

waarom Lagavulin en Laphroaig, twee distilleerderijen in Islay die op een steenworp afstand van
elkaar liggen, whisky's produceren die qua aroma
en smaak net zoveel van elkaar verschillen als
vanille en drop?

De overeenkomsten in de grondstoffen die in
een bepaalde streek worden gebruikt, spelen
beslist een rol. De chemicaliën in het water dat
voor een bepaalde whisky wordt gebruikt, geven
een sterke of zwakke turfsmaak en een sterke of

zwakke mineraalsmaak. Zo gaat het ook met het drogen van de gerst: hoeveel turf wordt er gebruikt, hoe lang staat de gerst bloot aan de rook, en welke bestanddelen zitten er in de turf? Heide bijvoorbeeld geeft de rook weer een heel aparte geur.

De vorm, leeftijd en toestand van de stookketels zijn ook van invloed op het resultaat: ketels met een lange hals geven een lichtere drank, terwijl kortere, hoekiger ketels een zwaarder, intenser distillaat produceren. De mythologie rondom ketels gaat heel ver: wanneer er een nieuwe ketel nodig is, wordt er een zuivere replica van de oude gemaakt, tot en met de deukjes en vlekjes!

Verder wordt de whisky beïnvloed door de vakkundigheid van de *still man*, de distilleerder, die precies weet wanneer hij het beste deel van de alcohol te pakken heeft, die geobsedeerd is door consistentie en die een neus bezit die ruim 150 aroma's kan onderscheiden in een scheut whisky.

En laten we het hout en het rijpingsprocédé niet vergeten. Ik denk dat de eigenschappen die whisky krijgt toebedeeld tijdens zijn lange verblijf in een eikenhouten vat een belangrijke rol spelen. Maar hierover later meer.

Single malt – iets aparts

Rond 1850 was Andrew Usher & Co. de eerste handelaar die een blended whisky maakte, wat het begin was van een nieuw tijdperk in de annalen van de whiskyproductie. Per definitie bestaat blended whisky uit malt whisky en graanwhisky. Graanwhisky is een distillaat van verschillende graansoorten, zoals maïs, tarwe en gerst, zowel gemout (gekiemd) als ongemout. Graanwhisky wordt geproduceerd in een *patent still*. Dit omstreeks 1830 uitgevonden instrument verschilt van de *pot still*, die voor malt whisky wordt gebruikt, doordat het continu kan doorwerken en niet steeds hoeft te worden schoongemaakt en bijgevuld. Hoewel de *patent still* heel

Haggis en whisky, daarom draait een traditioneel Robert Burns-diner, dat elk jaar op 25 januari wordt gehouden.

De vaten zien er identiek uit, maar hebben elk een onvoorspelbare inhoud.

efficiënt werkt, komt er een vrij smakeloze, kleurloze, geurloze alcohol uit.

Een single malt whisky daarentegen wordt in een *pot still* geproduceerd uit uitsluitend gemoute gerst, waarna hij minstens drie jaar in Schotland rijpt in eikenhouten vaten en dan minstens 40% alcohol bevat. Daarbij moet single malt whisky uit één distilleerderij afkomstig zijn.

Een blend van single malt whisky's, dus een blend die geen graanwhisky bevat, wordt een *vatted malt* genoemd. Hoewel deze drankjes tot dusver niet erg populair waren, is er momenteel wel belangstelling voor.

Daarbij, alsof dit nog niet verwarrend genoeg was, verkopen vrijwel alle distilleerderijen whisky in vaten aan particulieren. Een whisky-club of andere groep liefhebbers, of op meer commercieel niveau, onafhankelijke bottelaars, kunnen whisky op vat kopen en die daarna zelf bottelen. Afhankelijk van de ontwikkeling van deze whisky kan deze direct worden gebotteld of eerst nog verder rijpen. Naast de Scotch Malt Whisky Society, een organisatie met vele enthousiaste leden over de hele wereld, zijn de twee oudste onafhankelijke bottelaars Gordon & MacPhail en Cadenhead, die whisky's bottelen en verhandelen die anders waarschijnlijk nooit het daglicht hadden gezien. Anders dan botteling onder supervisie van de distilleerderij komen deze onafhankelijke bottelingen vaak van enkele vaten, en daarom verschilt de ene fles behoorlijk van de andere. Helemaal niet verkeerd, tenzij u elke avond bij McDonald's eet en diezelfde consistentie van uw whisky verwacht.

Als een single malt op de distilleerderij wordt gebotteld, wordt er meestal een combinatie gemaakt van meerdere vaten van eenzelfde leeftijd. Hierdoor ontstaat meer consistentie in een single malt. De meeste distilleerderijen bottelen met een koude filtering, zodat de whisky helder blijft in de fles. Bovendien wordt de whisky verdund met een bepaald percentage water om een uniform alcoholgehalte te krijgen. Onafhankelijke bottelaars daarentegen gebruiken whisky uit één vat, soms op vatsterkte, onverdund, en zelden koud gefilterd. Hun doel: een gebottelde whisky die zo dicht mogelijk bij whisky uit het vat komt.

Voor beide benaderingen is iets te zeggen, en beide leveren ze gespreksstof voor de eindeloze discussie over waarom het zo leuk is om een single malt whisky te proeven en te bespreken.

*S*choonheid komt met de jaren

Voor 1900 werd single malt whisky vrijwel altijd ongerijpt gedronken. De distilleerderij verkocht de vaten aan handelaren die de whisky bottelden als er vraag naar was. Omstreeks 1915 werd een regeringsinstantie in het leven geroepen om de whiskyproductie te controleren, en die bepaalde dat whisky minstens drie jaar in een vat moest rijpen voordat hij zich 'whisky' mocht noemen. In plaats van elk willekeurig vat te pak-

Cadenhead is een beroemde onafhankelijke bottelaar – de winkel in Edinburgh is een bezoek meer dan waard. Op basis van de voorraad wordt elke dag het aanbod aangepast – bourbondrinkers geen toegang.

ken, moesten distilleerderijen nu op zoek naar betere kwaliteit, want om de whisky nu drie jaar in een vat te stoppen waar eerst gepekelde vis in had gezeten, had waarschijnlijk niet zo'n gunstig effect op de smaak. De Schotten lieten hun oog vallen op vaten van Frans of Amerikaans eikenhout, die door Spaanse sherrybodega's en bourbonproducenten uit Kentucky waren gebruikt. In die tijd waren zulke vaten spotgoedkoop, vooral omdat het goedkoper was voor de bodega-eigenaren en bourbon-stokers om ze op de kade te verkopen dan ze leeg terug te sturen. Dit was een zegen voor de Schotten en hun whisky, omdat een aantal eigenschappen van deze vaten –zoals de houtsoort, het procédé waarmee ze waren gemaakt en het residu van de sherry of bourbon– een zeer gunstig effect op de rijpende whisky bleken te hebben.

De meeste whisky wordt verdund met een beetje water voordat hij in een eikenhouten vat gaat. Whisky komt op ca. 70% alcohol uit de ketel en wordt tot ca. 63% verdund. Bij het bottelen wordt dit percentage nog eens teruggebracht tot 40% voor EG-landen en 43% voor andere landen. Nu het marktaandeel van de onafhankelijke bottelaars (waarbij whisky particulier per vat wordt gekocht en elders gebotteld) groeit, is er ook 'cask strength' te koop, uiteenlopend van 43% tot meer dan 64%. Momenteel experimenteren veel distilleerderijen met andere soorten eikenhouten vaten om hun whisky te laten afrijpen, zoals vaten die voor brandewijn, port en rum zijn gebruikt. Soms rijpt whisky 8 jaar in een bourbonvat, dat meestal een lichtere smaak geeft dan bijvoorbeeld een sherryvat, en rijpt hij 6-12 maanden af in een brandewijnvat. Wellicht gaat het met deze ontwikkeling net zo als met de kok die kruiden uit het Verre Oosten heeft ontdekt en ze in West-Europese gerechten verwerkt: velen proberen het, weinigen kunnen het.

Tijdens de rijping ontstaat er een wisselwerking tussen de vloeistof in het vat en de omgeving van het vat. Zo'n 2-5% van de whisky verdampt jaarlijks in de atmosfeer. Het percentage is afhankelijk van de vochtigheid in de kelder waar de vaten staan opgeslagen. De poëtische benaming voor deze kostbare verdamping luidt 'het deel van de engelen'. Bovendien denkt men dat de eigenschappen van de omgeving ook de whisky kunnen beïnvloeden. Als de kelder bijvoorbeeld aan de kust ligt, zal de whisky een zilt karakter krijgen.

In het eikenhouten vat verandert de whisky door de verzachtende werking van tannine en andere bestanddelen van het hout, evenals de smaken van het hout. Ook de residu's van bijvoorbeeld bourbon, sherry of andere dranken laten duidelijke sporen na.

Ook het maken van de vaten kan bijdragen aan de smaak van de whisky. Voor het maken van vaten wordt het hout in smalle planken of duigen gezaagd. De duigen worden een aantal jaren aan de lucht gedroogd om de bitterste tanninecomponenten uit het hout te krijgen. Daarna worden ze in water gedrenkt. Een ervaren kuiper pakt ze dan een voor een en buigt ze boven een vuur in de gewenste vorm. De kant die in aanraking komt met de whisky wordt hierbij 'geroosterd', en dat roostereffect, dat uiteen kan lopen van licht tot extra donker, geeft de whisky weer een extra smaak. De intensiteit van dit kenmerk

Midden in Speyside ligt Dufftown. Net als Rome had Dufftown zeven heuvels, waarvan de bekendste Glenfiddich is.

varieert en is afhankelijk van hoe sterk het vat is 'geroosterd'.

De meeste whisky wordt vrijgegeven na een rijpingsduur van 8-15 jaar. De meest voorkomende leeftijden zijn 8, 10, 12, 14 en 15 jaar oud. Tenzij een whisky uit één vat komt, wat dan op het etiket wordt vermeld (*single cask*), is single malt whisky een combinatie van meerdere vaten die in het algemeen, maar niet altijd, dezelfde leeftijd hebben en uit dezelfde distilleerderij afkomstig zijn. De leeftijd op het etiket verwijst naar de jongste whisky die erin zit. Op de etiketten van oudere, zeldzamer bottelingen kan de datum van distillatie staan, plus de datum van botteling en een leeftijdsaanduiding, bv. 17 jaar oud, 21 jaar oud enz. Een leeftijdsaanduiding wordt altijd naar beneden afgerond, naar het aantal hele jaren dat de whisky op vat heeft gelegen. Soms kiest een distilleerderij ervoor om een lagere leeftijd aan te geven of helemaal geen.

Whisky wordt niet altijd beter met de jaren. (Dat geldt ook voor mensen.) Zeker, sommige zeldzame, oude, dure whisky's zijn veel beter dan hun jongere soortgenoten, maar dat is eerder een uitzondering dan de regel. Bij het proeven ontdekten we dat de meeste whisky's na 21 jaar aan frisheid beginnen in te boeten en een muf, houtachtig, vlak karakter ontwikkelen. Let wel: dit is een algemene indruk; we hebben enkele zeer oude whisky's geproefd die absoluut fantastisch waren. Mijn advies luidt: lieg over uw eigen leeftijd; oordeel over de leeftijd van whisky door te proeven.

Bottelen

Sinds het eind van de jaren '70 is er een toenemende belangstelling voor single malt whisky. Tegelijkertijd zijn de verkoopcijfers van blended whisky gedaald, hoewel dit nog steeds de meest verkochte bruine drank is. In de VS zakte de verkoop tussen '94 en '95 met 3,3%. In diezelfde periode steeg de verkoop van single malt met 14%. Deze stijgende lijn houdt aan. Distilleerders hebben van deze trend geprofiteerd door het leeftijdsaanbod van hun bottelingen uit te breiden; er zijn dan ook meer onafhankelijke bottelingen te koop. Verscheidene firma's, zoals Gordon & MacPhail en Cadenhead, en een aantal clubs en verenigingen, zoals The Scotch Malt Whisky Society, kopen whisky op fust van de distilleerderij, en bewaren en bottelen die zelf.

Het is vrijwel onmogelijk om een compleet boek te schrijven met alle whisky's die in de wereld te koop zijn, omdat het aanbod constant verandert.

Wat we hebben gedaan is een algemeen overzicht maken van blends, distilleerderij- en onafhankelijke bottelingen. Het relatieve alcoholgehalte van de verschillende bottelingen werkt zo: distilleerderijbottelingen bevatten 40% alcohol voor EG-landen en 43% voor de exportmarkt. Onafhankelijke bottelingen kunnen op vatsterkte *(cask strength)* worden verkocht, met 43-67%. In het proefrapport wordt altijd precies vermeld welk alcoholgehalte het betrof. Distilleerderijbottelingen zijn vaak veel consistenter dan onafhankelijke, omdat distilleerderijen verschillende vaten mengen om naar hun idee de optimale vorm van hun product te krijgen. Onafhankelijke bottelingen komen van één vat en daar zit nogal wat variatie in. Daar is niets mis mee, maar het zou niet eerlijk zijn om een whisky

te beoordelen op één proeverij van één onafhankelijke fles. Wij vonden het zeer de moeite waard om, waar mogelijk, de distilleerderijbottelingen te vergelijken met een onafhankelijke. Met uitzondering van sommige particuliere bottelingen van verenigingen, staan de naam van de distilleerderij, de leeftijd en het alcoholgehalte duidelijk op het etiket. Soms wordt een vat gekocht bij een niet meer actieve distilleerderij. De flessen die daarvan worden gebotteld, zullen de laatste zijn. Ardbeg, Dallas Dhu en North Port, die ook in dit boek zijn opgenomen, zijn allemaal gesloten. Dankzij de inspanningen van echte whiskyliefhebbers blijft de herinnering aan enkele van die distilleerderijen nog iets langer voortleven.

OLD
FETTERCAIRN
SINGLE HIGHLAND MALT

ESTD 1824

YRS 10 OLD

OLD
FETTERCAIRN

ESTABLISHED 1824

10 YEARS OLD
SINGLE HIGHLAND MALT
SCOTCH WHISKY

Distilled, aged and bottled in Scotland
TERCAIRN DISTILLERY, FETTERCAIRN, SCOTLAND
PRODUCT OF SCOTLAND   43% Alc/Vol
(86° Proof)

AGED FIFTEEN YEARS
GLEN
GARIOCH
HIGHLAND
Single Malt
SCOTCH WHISKY

DISTILLED & BOTTLED IN SCOTLAND

MORRISON'S GLEN GARIOCH DISTILLERY
OLD MELDRUM
ABERDEENSHIRE SCOTLAND

ml   43% Alc.

Distilled in the Valley of the Garioch,
traditionally one of the finest
barley growing areas
of Scotland

AGED FIFTEEN YEARS

BOWMO

ISLAY

SCOTCH WHISK

Years 17

750ml   43% Alc
DIST

Het echte proeven

We verzamelden proefmonsters uit allerlei hoeken: distributeurs, producenten, onafhankelijke bottelaars (allemaal zeer behulpzaam). Er werd een gastenlijst samengesteld met mensen uit de branche, voedingsdeskundigen, liefhebbers, vrienden uit de wereld van uitgevers en fotografen (allemaal beruchte whiskydrinkers) en een paar 'gewone mensen'. Er werden formulieren ontworpen, voorafjes bedacht, uitnodigingen verstuurd – en hopla, we hadden een whiskyfeest. Veel van de opmerkingen die u in de proefrapporten tegenkomt, zijn bij die gebeurtenis gemaakt. Misschien vraagt u zich af waarom de afgebeelde flessen niet allemaal even vol zijn. Nou, whisky moet gedronken worden, en dat hebben we dus gedaan. Slimme lezers kunnen al aan de inhoud zien welke whisky's het meest in de smaak vielen. Maar vergeet niet dat ik tijdens het schrijven van dit boek, wat toch een zware opgave was, ook regelmatig inspiratie nodig had!

De proeverij in de JUdson Grill in New York City

Zo gebruikt u dit boek

E en tijdje geleden kwam ik tijdens een lunch met mijn uitgeefster met een idee voor een boek over wijn. Ze zei dat het een leuk idee was, maar dat ze eigenlijk geen boek over wijn nodig hadden. Lekkere lunch, prima wijn, en fijn dat ze mijn idee leuk vond. Maar ze had me niet verteld dat ze wèl een boek over whisky nodig hadden. Nu zijn de meeste mensen die boeken over whisky hebben geschreven, helemaal gek van Schotland en van whisky. Ik zit in de wijnbranche, ik schrijf over wijn, stel wijnmenu's samen voor restaurants, drink wijn, verkoop wijn, proef wijn, geef les over wijn, drink wijn, denk aan wijn, en maak zelfs foto's van wijn. Maar whisky...?!!

Naarmate ik door mijn onderzoek en het vele proeven dieper verzeild raakte in de whisky-wereld, ontdekte ik (natuurlijk) dat de complexi-teit, intellectuele prikkeling en het sensuele genot dat ik kende uit de wijnwereld, mij net zo stralend onthaalden in de whiskywereld. Daar-naast had ik het genoegen om een heel nieuw soort mensen te ontmoeten: de 'whiskymensen'.

Ik hoop dat iedereen die blended whisky drinkt (9.450.000 liter in 1996) door ons enthousiasme over het proeven van verschillende single malts wordt aangestoken om ook eens wat te proberen – en vergelijk uw sensaties dan eens met de onze.

Als ik over wijn praat, zeg ik het ook altijd: wat een ander zegt, is niet belangrijk, u bepaalt zelf wat u lekker vindt. Proef met uw vrienden en discussieer uitvoerig over de beste whisky.

Single malt & blended whis

PROEFFORMULIER

TAFELNR. ———— **MERK** ————

Beantwoord de vragen door een streepje te zetten op de lijnen:

VOLHEID

Hoe is het gewicht van deze whisky, hoe voelt hij in de mond?

ZWAAR ————

Hoe intens of subtiel zijn de aroma's in deze whisky?

VOL ————

Hoe complex en hoe krachtig zijn de smaken in deze whisky?

STERK ————

ANDERE OPMERKINGEN:

Omcirkel alle aroma- en smaakkenmerken die u van toepassing vindt:

AROMA

| Bloemen | Fruitig | Kruidig | Heet | Aarde-achtig | Vettig | Noot-achtig |

SMAAK

| Zoet | Zilt | Peper | Rokerig | Zuur | Karamel | Vanil |
| Tabak | Koffie | Zwavel | Anijs | Perzik | Citrus | Mur |

Anders, nl.: ————
Evt. nadere uitleg over aroma en/of smaak: ————

Uw persoonlijke indrukken en reactie:

Single malt & blended whisky

PROEFFORMULIER

ELNR. **5** **MERK** **Edradour**

ord de vragen door een streepje te zetten op de lijnen:

VOLHEID

t gewicht van deze whisky, hoe voelt hij in de mond?

R _____|_____ **LICHT**

s of subtiel zijn de aroma's in deze whisky?

_____|_____ **LICHT**

ex en hoe krachtig zijn de smaken in deze whisky?

K _____|_____ **LICHT**

E OPMERKINGEN:

_____
_____

e aroma- en smaakkenmerken die u van toepassing vindt:

AROMA

| uitig | (Kruidig) | (Heet) | (Aarde-achtig) | Vettig | Noot-achtig | Gras-achtig |

SMAAK

| t | (Peper) | (Rokerig) | Zuur | (Karamel) | Vanille | Turfachtig |
| offie | Zwavel | Anijs | Perzik | Citrus | Munt | Hout-achtig |

eg over aroma en/of smaak:_____

indrukken en reactie: _Soepel en kruidig, afdronk niet te explosief!_

*O*verzicht single malt whisky's

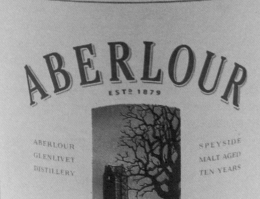

ABERLOUR

· ESTD 1879 ·

ABERLOUR
GLENLIVET
DISTILLERY

SPEYSIDE
MALT AGED
TEN YEARS

SINGLE HIGHLAND MALT
SCOTCH WHISKY

AGED **10** YEARS

750 ml

43%
Alc/Vol

DISTILLED AND BOTTLED IN SCOTLAND
ABERLOUR GLENLIVET DISTILLERY CO. LTD.
ABERLOUR SPEYSIDE

Aberlour

aber-lower

Highland (Speyside)

LEEFTIJD BIJ BOTTELEN: 10 jaar oud, 21 jaar oud, '100' en Antique.

ALCOHOLGEHALTE: 10 jaar oud 40%; 21 jaar oud en Antique 43%; '100' 57%.

Aberlour werd opgericht in 1826, maar op het etiket staat 1879. Dit is het jaar waarin de distilleerderij opnieuw was gebouwd, nadat het gebouw door brand was verwoest. Pernod-Ricard, een Frans concern, is nu de eigenaar, en heeft naast modernisering van de faciliteiten een gigantische reclamecampagne opgezet in eigen land. Het gevolg daarvan is dat de meeste single malt-bottelingen in Frankrijk worden verkocht. Een groot deel van de productie wordt gebruikt voor blends.

"Soepel maar vol; een genot om te drinken."

AROMA'S: Kruidig, heet, gras, bloemen.

SMAKEN: Peper, karamel, toffee, gemiddeld vol tot vol, lange afdronk.

*A*berfeldy

Highland (Southern)

LEEFTIJD BIJ BOTTELEN: 15 jaar oud.

ALCOHOLGEHALTE: 43%.

Deze distilleerderij, die omstreeks 1890 door de zonen van de beroemde blender John Dewar werd gebouwd, staat in een prachtig bosrijk gebied waar talloze eekhoorntjes wonen, die dan ook op het etiket van Aberfeldy vereeuwigd zijn. De meeste whisky wordt gebruikt voor blended whisky (Dewar's) maar er zijn zowel onafhankelijke als distilleerderijbottelingen te krijgen.

"Ruikt naar vanille-ijs."
"Rijk en aangenaam."

AROMA'S: Nootachtig, geurig, noten van eikenhout.

SMAKEN: Rijk, iets zoet, soepele afdronk.

*A*llt-A-Bhannie

ahlt-a-been of olt-a-veen

Highland (Speyside)

LEEFTIJD BIJ BOTTELEN: 12 jaar oud.

ALCOHOLGEHALTE: 56%.

Hoewel dit een van de nieuwere distilleerderijen is (1975), werd Allt-A-Bhannie in traditionele stijl gebouwd door de Seagram Company. De volledige productie (ruim 1 miljoen Amerikaanse gallons) wordt gebruikt voor blends.

"Een pittige borrel."
"Nogal brutaal."

AROMA'S: Koffie, toffee, iets heet.

SMAKEN: Iets rokerig, heet, zoetig, een beetje zuur in de afdronk.

Ardbeg

Islay

LEEFTIJD BIJ BOTTELEN: Verschillende leeftijden, allemaal onafhankelijke bottelingen.

ALCOHOLGEHALTE: Meestal 40%.

In 1815 werd de distilleerderij officieel erkend door de belastingdienst. Daarvoor werd hier illegaal gestookt. Die beschutte plek, met een eindeloze voorraad turf, gerst en goed water, maakt Ardbeg een schoolvoorbeeld van een eilanddistilleerderij. Het leeuwendeel van de whisky werd altijd gebruikt voor blends, maar nu is Ardbeg ook als single malt verkrijgbaar bij een aantal onafhankelijke bottelaars. Momenteel is de distilleerderij niet operationeel. De proeverij betrof een 20 jaar oude botteling van Gordon & MacPhail.

"Als een kaakslag."
"De beste van de hele proeverij."

AROMA'S: Aarde, vettig, kruidig, een beetje verbrand.

SMAKEN: Krachtig, zilt, houtachtig, veel laagjes. Een whisky voor de echte liefhebber.

Ardmore

Highland (Speyside)

LEEFTIJD BIJ BOTTELEN: Alleen onafhankelijke bottelingen.

ALCOHOLGEHALTE: 18 jaar oud, 59,3%.

Ardmore is een van de grootste distilleerderijen in Schotland. William Teacher bouwde het bedrijf omstreeks 1890. In de jaren '50 werd er uitgebreid en gemoderniseerd. Deze distilleerderij produceert de whisky die in Teacher's blended whisky gaat. Alle verkrijgbare bottelingen zijn onafhankelijk.

"Licht en opzichtig, maar weinig inhoud."

AROMA'S: Beetje rokerig.

SMAKEN: Gras, beetje scherp.

Auchentoshan

ok-en-tow-sjen of och-en-to-sjen

Lowland

LEEFTIJD BIJ BOTTELEN: 10 jaar oud, 21 jaar oud.

ALCOHOLGEHALTE: 10 jaar oud 40%; 21 jaar oud 43%.

De herkomst van deze distilleerderij is wat vaag; het oudste bewijs van eigendom stamt uit 1825. De zaak werd in de Tweede Wereldoorlog beschadigd en later weer opgebouwd en gemoderniseerd. Auchentoshan staat precies op de scheidslijn tussen Lowland en Highland: de distilleerderij bevindt zich in Lowland, maar er wordt water en turf uit Highland gebruikt. De meeste whisky's worden twee keer gedistilleerd, maar bij Auchentoshan gebeurt dat drie keer. De zeer soepele whisky die daar het resultaat van is, wordt voor verschillende blends gebruikt. Er zijn rondleidingen door de distilleerderij. Het proefrapport betreft de 10 jaar oude.

"Smaakt duur."

AROMA'S: Licht, fris, gras, citroen.

SMAKEN: Licht, helder, citrus, honing, vanille.

Aultmore

Highland (Speyside)

LEEFTIJD BIJ BOTTELEN: 12 jaar oud.

ALCOHOLGEHALTE: 43%.

Aultmore, dat omstreeks 1855 werd gebouwd, bezat tot ca. 1970 twee op stoom werkende stookketels. Daarna werd het bedrijf twee keer zo groot en werd de energiebron gemoderniseerd. Oorspronkelijk heette de distilleerderij de 'Oban and Aultmore-Glenlivet Distillery', maar die naam werd ingekort toen een blik op de kaart bewees dat Aultmore wel erg ver van de beroemde glen lag. Het grootste deel van de productie wordt gebruikt voor blends.

"Aangenaam. Ik vond hem lekker."

AROMA'S: Licht, zwakke neus, beetje fruit.

SMAKEN: Soepel, droog, vrij simpel, aangenaam.

*B*alblair

Highland (Speyside)

LEEFTIJD BIJ BOTTELEN: 5 jaar oud en 10 jaar oud (15 jaar oud onafhankelijke botteling).

ALCOHOLGEHALTE: 5 jaar oud en 10 jaar oud 40%.

Balblair is een van de oudste distilleerderijen in Schotland, want ze werd ergens tussen 1750-1790 gebouwd. Vanwege de rijke voorraden turf en helder water is in deze omgeving veel whisky geproduceerd, al dan niet legaal. De meeste Balblair-whisky wordt gebruikt om te blenden; een groot percentage gaat naar Ballantine's. Het proefrapport betreft de 10 jaar oude Balblair.

"Drinkt lekker weg, iets nootachtig."

AROMA'S: Rokerig, zoet, nootachtig.

SMAKEN: Duidelijk, beetje eenvoudig, rokerige afdronk.

Balvenie

Highland (Speyside)

LEEFTIJD BIJ BOTTELEN: 10 jaar oud en 12 jaar oud.

ALCOHOLGEHALTE: 43%.

Deze door William Grant omstreeks 1890 gebouwde distilleerderij staat naast Glenfiddich. Balvenie mout nog steeds haar gerst zelf en mag de hittebron van het beroemdere Glenfiddich gebruiken, waarschijnlijk in ruil voor een paar vaten Balvenie. Het proefrapport betreft de 12 jaar oude.

"Krachtig, intens, rijk aan parfum."

AROMA'S: Bloemen, neus met veel tonen.

SMAKEN: Rijke vleugjes honing, een lange, gelaagde afdronk.

Ben Nevis

Highland (Western)

LEEFTIJD BIJ BOTTELEN: 19 jaar oud, 21 jaar oud, 26 jaar oud.

ALCOHOLGEHALTE: Varieert per vat.

Ben Nevis werd in 1825 opgericht door 'Long John' Macdonald en bleef vele generaties in de familie, totdat het bedrijf in 1981 overging naar een dochteronderneming van Seager, Evans & Whitbread & Co. Ltd. en daarna van hand tot hand ging. Daaraan kwam een einde nadat er een *coffey still* en vier *pot stills* waren bijgekomen. Uiteindelijk werd Ben Nevis in 1898 verkocht aan Nikka, een Japans bedrijf.

"Een heel bijzondere traktatie, voor of na het diner."

AROMA'S: Fruitig en turfachtig.

SMAKEN: Vol, nootachtig, aarde en turf.

Benriach

Highland

LEEFTIJD BIJ BOTTELEN:
10 jaar oud.

ALCOHOLGEHALTE: 43%.

Benriach werd aan het eind van de vorige eeuw opgericht en moest in 1900 alweer dicht. De deuren bleven meer dan een halve eeuw gesloten. Sinds de heropening in 1965 gaat een groot deel van de productie naar de blender en wordt een klein gedeelte onafhankelijk gebotteld.

"Krachtig, maar drinkt lekker."

AROMA'S: Fruitig, kruidig, heet.

SMAKEN: Zoet, perzik, karamel, lichtere afdronk.

BENRIACH DISTILLERY

EST. 1898

A SINGLE

PURE HIGHLAND MALT

Scotch Whisky

Benriach Distillery, in the heart of the Highlands,
still malts its own barley. The resulting whisky has
a unique and attractive delicacy

PRODUCED AND BOTTLED BY THE

BENRIACH

DISTILLERY CO

ELGIN, MORAYSHIRE, SCOTLAND, IV30 3SJ
Distilled and Bottled in Scotland
PRODUCE OF SCOTLAND

AGED 10 YEARS

IMPORTED BY THE BENRIACH DISTILLING CO, NY, NY

750 ML.   ALC. 43% BY VOL.

Benromach

Highland (Speyside)

LEEFTIJD BIJ BOTTELEN: 12 jaar oud.

ALCOHOLGEHALTE: 40%.

Benromach werd in 1898 werd opgericht. In 1983 besloot DCL, de toenmalige eigenaar, het bedrijf te sluiten. In 1992 kocht Gordon & MacPhail de distilleerderij – de heropening was gepland voor eind 1997. Benromach is een Highlandwhisky met een heldere, lichte stijl met een gemiddelde turfsmaak. Het proefrapport betreft een 12 jaar oude botteling van Gordon & MacPhail van 40%.

"Goede, lange, kruidige afdronk."

AROMA'S: Zoet in de neus; iets rokerig en turfachtig.

SMAKEN: Nootachtig, exotisch kruidig, kaneel.

Bladnoch

Lowland

LEEFTIJD BIJ BOTTELEN: Niet meer actief, verscheidene onafhankelijke bottelingen: 10 jaar oud, 11 jaar oud, 15 jaar oud, 16 jaar oud.

ALCOHOLGEHALTE: 43%.

Bladnoch is herhaaldelijk gesloten en heropend. De laatste sluiting vond plaats in 1994. Als de laatste voorraden eenmaal zijn gebotteld en verkocht, is Bladnoch verleden tijd.

"Als boter, weet je wel."

AROMA'S: Rokerig, karamel, vettig.

SMAKEN: Zwaar, turfachtig, wrang, rijk.

*B*owmore

Islay

LEEFTIJD BIJ BOTTELEN: 10 jaar oud, 12 jaar oud, 15 jaar oud, 17 jaar oud, 21 jaar oud, 22 jaar oud, 25 jaar oud en 30 jaar oud, Legend (zonder leeftijd).

ALCOHOLGEHALTE: 10 jaar oud, 12 jaar oud, Legend 40%; 15 jaar oud, 21 jaar oud, 22 jaar oud, 30 jaar oud 43%; 25 jaar oud Black Bowmore (een zeldzame vat-botteling) 50%.

Bowmore werd opgericht in 1779 en is daarmee de oudste distilleer-derij op dit eiland. Na jarenlang het eigendom te zijn geweest van Morrison Bowmore Distillers, die ook Auchentoshan en Glen Garioch bezitten, werd Bowmore in 1997 verkocht aan het Japanse Suntory. Maar ook al vóór de verkoop ging veel van deze whisky naar Japan. Bowmore mout de meeste gerst zelf. De traditionele moutschuren met pagodevormige ventilatoren op het dak zien er nu extra Oosters uit. Het proefrapport betreft de 17 jaar oude.

"Mjam." (Werd twee keer gezegd door verschillende proevers.)

AROMA'S: Muskusachtig, aarde, nootachtig. Prachtige rijke kleur.

SMAKEN: Droog, houtskool, beetje turf, rokerig, beetje bitter, heel complex.

rora

Highland (Speyside)

LEEFTIJD BIJ BOTTELEN: 18 jaar oud proefmonster (particuliere botteling).

ALCOHOLGEHALTE: 60,3%.

Brora werd opgericht in 1819. In 1896 nam James Ainslie & Co. het bedrijf over. Daarna kocht DCL een groot aandeel in Brora; de Clynelish Distillery Co. werd gevormd en Brora kreeg een nieuwe naam: Clynelish. In 1925 bezat DCL alle aandelen en werd er naast Clynelish een nieuwe distilleerderij gebouwd die weer Brora werd genoemd en die actief bleef tot 1968. Brora ging in 1983 dicht en werd een toeristische attractie. Het proefrapport betreft een monster van een 18 jaar oude.

"Zeer aangenaam."

AROMA'S: Zoet, vanille.

SMAKEN: Helder, fris, fruitig.

Het glooiende landschap van de Highlands.

Bruichladdich

broe-ich-laddie

Islay

LEEFTIJD BIJ BOTTELEN: 10 jaar oud, 15 jaar oud, 21 jaar oud.

ALCOHOLGEHALTE: 10 jaar oud eń 15 jaar oud 40%, 21 jaar oud 43%.

Deze sinds 1995 gesloten distilleerderij staat pal aan zee. De meeste whisky's van Islay zijn heel zwaar en turfachtig, maar Bruichladdich is veel lichter. Volgens sommige kenners komt dit doordat de distilleerderij water gebruikt uit een landinwaarts gelegen reservoir dat veel zachter water bevat. Het proefrapport betreft een 15 jaar oude.

"Lekker, gelijkmatig, heel zacht."

AROMA'S: Nootachtig, zoet, licht, iets turfachtig.

SMAKEN: Zacht, rokerig, een beetje zoet, intens, rijke afdronk.

Bunnahabhain

boen-a-ha-ven

Islay

LEEFTIJD BIJ BOTTELEN:
12 jaar oud en soms onafhankelijke bottelingen.

ALCOHOLGEHALTE: 12 jaar oud 43%.

De naam Bunnahabhain betekent 'riviermonding'. Deze distilleerderij die aan de noordoostkust van Islay staat, produceert een Islaywhisky met een enigszins jodiumachtige stijl. Bunnahabhain wordt veelal gebruikt voor The Famous Grouse blended whisky.

"Echt zilt en fris, smaakt als de zee. Erg kruidige afdronk."

AROMA'S: Bloemen en fris, met vleugjes hazelnoot en aarde.

SMAKEN: Rokerig, peper, vleugje hout, duidelijke noot van koffie.

"Westering Home..."

Bunnahabhain
SINGLE ISLAY MALT SCOTCH WHISKY
PRODUCT OF SCOTLAND
THE BUNNAHABHAIN DISTILLERY COMPANY,
BUNNAHABHAIN, ISLE OF ISLAY, SCOTLAND. BOTTLED IN SCOTLAND

Sole U.S.A. Distributor,
Rémy Amérique, Inc.,
New York, N.Y.

43% alc/vol   750 ml

aged 12 years

Caol Ila

Koal-iel-a of kaal-iela (hangt af van de persoon)

Islay

LEEFTIJD BIJ BOTTELEN: 12 jaar oud, 13 jaar oud, 14 jaar oud, 15 jaar oud, 17 jaar oud, 19 jaar oud, 20 jaar oud, 21 jaar oud, en onafhankelijke bottelingen.

ALCOHOLGEHALTE: 40%, 43% en 60% – varieert per jaar.

Caol Ila is Gaelic voor Sound of Islay. Bijna alle whisky wordt gebruikt voor blends, maar soms duikt er een onafhankelijke botteling op. Het proefrapport betreft een 14 jaar oude 40% botteling van Gordon & MacPhail.

"Heerlijk bij een goede Cubaanse sigaar."

AROMA'S: Aarde, turfachtig, beetje gras.

SMAKEN: Aarde, zout, rokerig, vrij lange afdronk.

Caperdonich

Highland (Speyside)

LEEFTIJD BIJ BOTTELEN: 16 jaar oud.

ALCOHOLGEHALTE: 40%.

Deze distilleerderij heette oorspronkelijk Glen Grant 2, omdat ze naast Glen Grant werd gebouwd. De productie van deze nieuwe faciliteit werd tot de eeuwwisseling naar Glen Grant gepompt. Daarna lag het bedrijf stil tot 1965, toen het werd uitgebreid en Caperdonich genoemd. De whisky is overwegend verkrijgbaar als onafhankelijke bottelingen.

"Deed me denken aan een Marsreep."

AROMA'S: Chocola, karamel en gebrande suiker.

SMAKEN: Zoet, houtig, beetje rook op het gehemelte.

Cardhu

Kar-doe

Highland (Speyside)

LEEFTIJD BIJ BOTTELEN: 12 jaar oud.

ALCOHOLGEHALTE: 40%.

De naam van deze oude distilleerderij betekent 'zwarte rots' in het Gaelic. Het leeuwendeel van de productie van dit in de jaren '60 gemoderniseerde bedrijf gaat naar de blended whisky's Johnnie Walker Black en Red Label. Cardhu zelf is licht van kleur met vrijwel geen turfachtig karakter.

"Pittige borrel."

AROMA'S: Licht, iets aarde, citrus.

SMAKEN: Fris, levendig, vleugje hout en rook.

Clynelish

klain-liesj

Highland (Northern)

LEEFTIJD BIJ BOTTELEN: 14 jaar oud, 15 jaar oud, verschillende onafhankelijke bottelingen (12 jaar oude botteling Glen Haven geproefd).

ALCOHOLGEHALTE: 14 jaar oud en 15 jaar oud 43%, gehalte van onafhankelijke bottelingen varieert, 12 jaar oude die we proefden 61%.

Clynelish (zie ook Brora) ging oorspronkelijk in 1819 open als brouwerij en werd kort daarna omgebouwd tot distilleerderij. Eerst heette het bedrijf Brora, maar in 1912 ging het in andere handen over en kreeg het de naam Clynelish. In 1925 werd er een nieuwe distilleerderij naast gebouwd, die weer de naam Brora kreeg. In 1969 ging Clynelish weer open in het voormalige mouthuis van Brora. De productie uit het mouthuis werd op de vaten als 'Brora' bestempeld, maar verkocht onder de naam 'Clynelish'. De distilleerderij lag stil vanaf mei 1983 en is nu een bezoekerscentrum.

"Man, wat is dat intens!"
"Heel sterk, maar heel lekker."
"Zeer explosief."

AROMA'S: Turfachtig, medicinaal, rokerig.

SMAKEN: Rook, zware turf.

Cragganmore

Highland (Speyside)

LEEFTIJD BIJ BOTTELEN:
12 jaar oud.

ALCOHOLGEHALTE: 40%.

Deze distilleerderij werd in 1869 opgericht door de zeer ervaren John Smith. Deze man had al verscheidene distilleerderijen geleid, waaronder Macallan en Glenlivet, voordat hij voor zichzelf begon. Dit was een van de eerste distilleerderijen die gebruik maakte van een nabijgelegen spoorbaan, misschien een van de redenen waarom het grootste deel van de productie altijd is gebruikt voor blends. De afgelopen jaren is deze whisky een van de Classic Malts van United Distillers geworden en is daardoor overal verkrijgbaar. De ketels zijn heel ouderwets van ontwerp.

"Sterk, maar ik vind 'm lekker."

AROMA'S: Droog, wat heet, rokerig, vleugje fruit.

SMAKEN: Gemiddeld vol tot zeer vol, lang, kruidig, beetje vanille.

MALT

The Best of Speysi

CRAGGANMOL

SINGLE HIGHLAND

AGED **12** YEARS

Scotch Whisky

SOLE DISTRIBUTOR IN USA,
SCHIEFFELIN & SOMERSET CO.
NEW YORK, N.Y.
PRODUCT OF SCOTLAND

SPECIALLY BOTTLED IN SCOTLAND FOR THE
CRAGGANMORE DISTILLERY, BALLINDALLOCH, BANFF

RARE

Dallas Dhu

Highland (Speyside)

LEEFTIJD BIJ BOTTELEN:
10 jaar oud, 12 jaar oud, 17 jaar oud, 20 jaar oud, 30 jaar oud (allemaal onafhankelijke bottelingen).

ALCOHOLGEHALTE:
Uiteenlopend.

Deze distilleerderij is niet langer actief en is als toeristische attractie ingericht. U kunt er zien hoe men rond de eeuwwisseling werkte. Er zijn verschillende onafhankelijke bottelingen van oude vaten te koop, zij het niet overal. Het proefrapport betreft een 12 jaar oude.

"Echt krachtig en boeiend."

AROMA'S: Heet, vettig, nootachtig, aarde, champignons.

SMAKEN: Aarde, houtig, stroperig in de mond, karwij, citrus, intens.

*D*almore

Highland (Speyside)

Leeftijd bij bottelen: 12 jaar oud.

Alcoholgehalte: 40%, verscheidene onafhankelijke bottelingen met uiteenlopend gehalte.

Deze distilleerderij werd opgericht in 1839 en bleef nonstop actief tot de Eerste Wereldoorlog. Toen werd alles omgebouwd om mijnen voor de marine te kunnen produceren. In 1966 werd alles gemoderniseerd, maar er worden nog steeds stookketels uit 1874 gebruikt. De meeste whisky wordt gebruikt in blends.

"Heel mooie whisky."

Aroma's: Zacht, fruitig, lichte neus.

Smaken: Vol, beetje turfachtig, soepel, rijke afdronk.

Dalwhinnie

Highland

LEEFTIJD BIJ BOTTELEN: 15 jaar oud.

ALCOHOLGEHALTE: 43%.

Dalwhinnie is Gaelic voor 'ontmoetingsplaats'.
De distilleerderij is gelegen aan een spoorweg,
omringd door héél veel turf en helder water.
Geen andere Schotse distilleerderij ligt zo hoog
als deze. Na haar oprichting in 1897 waren er
faillissementen, overnames en branden, tot de
situatie zich in 1938 stabiliseerde. Hoewel het
leeuwendeel van de productie in blends wordt
verwerkt, is deze malt nu ook verkrijgbaar als
onderdeel van de Classic Malt-serie.

"Helder, heel fris."

AROMA'S: Licht, fris, een vleugje turf.

SMAKEN: Beetje zoet, bloemen, honing,
gemiddeld lang.

Deanston

Highland (Southern)

LEEFTIJD BIJ BOTTELEN: 12 jaar oud, 17 jaar oud, 25 jaar oud, onafhankelijke bottelingen.

ALCOHOLGEHALTE: 12 jaar oud, 17 jaar oud en 25 jaar oud 40%.

Deanston werd opgericht in 1965 en is dus relatief 'jong'. De nieuwe eigenaren gebruiken gerst die niet boven turfvuur is gedroogd. Het proefrapport betreft een 17 jaar oude.

"Heel koppig."

AROMA'S: Nootachtig en vanille.

SMAKEN: Rokerig, gemiddeld turfachtig, nootachtig, zoetige afdronk.

Dufftown-Glenlivet

Highland (Speyside)

LEEFTIJD BIJ BOTTELEN: 12 jaar oud, verschillende onafhankelijke bottelingen.

ALCOHOLGEHALTE: 43%, vele onafhankelijke bottelingen met uiteenlopend gehalte.

Het stadje Dufftown staat al jarenlang bekend om zijn uitmuntende whisky's. Dufftown-Glenlivet is weer zo'n distilleerderij die het nodig vond om, net als vele buren, Glenlivet aan haar naam toe te voegen. De distilleerderij werd in 1887 gebouwd en in 1933 door de beroemde blenders Arthur Bell & Sons gekocht. Sindsdien is de meeste whisky gebruikt voor allerlei blends van Bell's. In 1974 bouwde Bell een zusje voor Dufftown, Pittvaich-Glenlivet genaamd. Het idee was om de productie te verhogen zonder de kwaliteit aan te tasten – een mooi streven. In de nieuwe distilleerderij zijn de oude *pot stills* uit Dufftown-Glenlivet tot de laatste schroef nagemaakt. Het proefrapport betreft een 12 jaar oude whisky.

"Smaakt bekend, als een perfecte whisky."

AROMA'S: Fruitig: appel en peer.

SMAKEN: Vrij licht, helder, fris, beetje bloemen.

The Edradour

Highland (Speyside)

LEEFTIJD BIJ BOTTELEN: 10 jaar oud, verscheidene onafhankelijke bottelingen.

ALCOHOLGEHALTE: 10 jaar oud 43%; onafhankelijke bottelingen met uiteenlopend gehalte.

Edradour, de kleinste distilleerderij van Schotland, werkt nog steeds precies zoals in de 19e eeuw. Het hele bedrijf wordt geleid door vier mensen, en bijna alles gaat met de hand. Bezoek alleen op afspraak; wilt u even terug in de tijd, dan is Edradour een ideaal reisdoel.

"Soepel en kruidig, afdronk niet te explosief."

AROMA'S: Kruidig, heet, aarde in de neus.

SMAKEN: Peper, turf, rook, vleugjes tabak en karamel.

Glen Garioch

Glen-gie-rie

Highland (Eastern)

LEEFTIJD BIJ BOTTELEN: 12 jaar oud, 15 jaar oud, 21 jaar oud.

ALCOHOLGEHALTE: 12 jaar oud 40%, alle andere 43%.

De boeken van Glen Garioch bewijzen dat deze distilleerderij in elk geval al in 1785 bestond. De ligging is dan ook ideaal, met grote voorraden turf en water. Glen Garioch maakt handig gebruik van overtollige hitte die vrijkomt tijdens het mouten en distilleren, door de tomaten-kassen op het terrein ermee te verhitten. Een deel van deze whisky wordt gebruikt in Vat 69 en andere blends. Het proefrapport betreft een 12 jaar oude.

"Turfachtig en lekker."

AROMA'S: Bloemen en rook, lekkere aroma's.

SMAKEN: Peper, met een vleugje kruidnagel, wat turf en rook.

AGED FIFTEEN YEARS

GLEN®
GARIOCH

HIGHLAND
Single Malt
SCOTCH WHISKY

DISTILLED & BOTTLED IN SCOTLAND

MORRISON'S GLEN GARIOCH DISTILLERY

43% Alc./Vol

Glen Grant

Highland (Speyside)

LEEFTIJD BIJ BOTTELEN:
5 jaar oud en 10 jaar oud, zeldzame
onafhankelijke bottelingen van
12 jaar oud, 21 jaar oud, 25 jaar oud,
30 jaar oud en 40 jaar oud.

ALCOHOLGEHALTE: 5 jaar oud
40%, 10 jaar oud 43%.

Sinds haar oprichting in 1840 is
Glen Grant altijd een groot succes
geweest. Met uitzondering van een
korte periode rond de eeuwwisseling is het bedrijf steeds
gegroeid. Er wordt het hele jaar door
whisky geproduceerd. Glen Grant is
heel populair in Italië en is elders
vrij moeilijk te krijgen, maar duikt
soms op in onafhankelijke
bottelingen op allerlei leeftijden en
met uiteenlopend alcoholgehalte.
Het proefrapport betreft een 5 jaar
oude.

"Beslist mijn favoriet."

AROMA'S: Lichte, fruitige aroma's.

SMAKEN: Beetje zoet, heel droog.

FROM THE HEATH COVERED MOUNTAINS OF SCOTIA I COME

30 YEARS OLD

HIGHLAND WHISKY

MALT SCOTCH

PRODUCE OF SCOTLAND.

GLEN GRANT

DISTILLED & BOTTLED IN SCOTLAND

750ml

ESTABLISHED 1840

40% alc/vol (80Proof)

J & J GRANT OF GLEN GRANT DISTILLERY

ROTHES

Bottled by
GORDON & MACPHAIL
Wine & Spirit Merchants,
Elgin.

© CORNWALL'S SUNS LTD
ABERDEEN

Glen Keith

Highland (Speyside)

LEEFTIJD BIJ BOTTELEN: 10 jaar oud.

ALCOHOLGEHALTE: 43%.

Dit is de eerste nieuwe distilleerderij van de 20e eeuw. Er wordt gedistilleerd boven een gasvuur in plaats van een kolenvuur, en het hele productieproces is computergestuurd. De whisky wordt grotendeels gebruikt voor blends van Chivas Brothers, maar is nu ook verkrijgbaar in een botteling van Seagram.

"Verrukkelijk."

AROMA'S: Nootachtig, vettig, beetje eikenhout.

SMAKEN: Zacht, soepel, citrus, rijke afdronk.

101

Glen Ord

Highland (Northern)

LEEFTIJD BIJ BOTTELEN: 12 jaar oud (soms onafhankelijk).

ALCOHOLGEHALTE: 40%.

Aan het begin van de 19e eeuw waren er talloze distilleerderijen in Schotland, maar Glenlivet was in 1824 de eerste die een vergunning kreeg. De legalisatiegolf die het land daarna overspoelde, bracht vele illegale stokerijen op het rechte pad, en veel faciliteiten die waren gesloten, vroegen een vergunning aan en werden weer in ere hersteld. Glen Ord is zo'n bedrijf dat werd gebouwd in een voormalig illegale distilleerderij – het kreeg in 1838 een vergunning. Tot omstreeks 1960 werd de energie voor de machines met water opgewekt. Nu is Glen Ord een groot bedrijf. Deze distilleerderij mengt heide door de turf voor het drogen van de gerst.

"Koel en soepel, drinkt lekker weg."

AROMA'S: Nootachtig, gras, vleugje bloemen.

SMAKEN: Licht, citrus, perzik, zeer droge afdronk.

103

THE GLENROTHES

GLENROTHES

SINGLE SPEYSIDE

THE GLENROTHES DISTILLERY
SAMPLE ROOM

CHARACTER: Delicate, peaty undertones.

CHECKED: J.C. Stevens   DATE: 4/7/84

APPROVED: R.H. Penick   DATE: 8.9.95

Distilled and Bottled in Scotland. Berry Bros. & Rudd Ltd, 3 St James's Street, London.

43% Alc./Vol.   **SCOTCH WHISKY**
        PRODUCT OF SCOTLAND

DISTILLED
1979
BOTTLED IN
17 YEARS O

Glen Rothes

Highland (Speyside)

Leeftijd bij bottelen: 15 jaar oud en verscheidene onafhankelijke bottelingen.

Alcoholgehalte: 15 jaar oud 43%, onafhankelijke bottelingen met uiteenlopend gehalte.

Bijna alle whisky van Glenrothes wordt gebruikt voor het blenden van The Famous Grouse en Cutty Sark. Dit grote commerciële bedrijf produceert meer dan 1 miljoen Amerikaanse gallons whisky per jaar.

"Een vondst."
"Mijn favoriet."
"Een whisky met diepe, complexe aroma's en smaken."

Aroma's: Complex, kruidig, beetje turf, nootachtig.

Smaken: Karamel, boterachtig, vanille, zoet, rokerige afdronk.

Glen Scotia

glen-sko-sja

Campbeltown

LEEFTIJD BIJ BOTTELEN: 8 jaar oud, 12 jaar oud, 14 jaar oud, 17 jaar oud en onafhankelijke bottelingen met uiteenlopende leeftijden en gehaltes.

ALCOHOLGEHALTE: 12 jaar oud 43%, alle andere 40%.

In de 19e eeuw bezat deze stad de grootste concentratie van distilleerderijen van heel Schotland; nu zijn er nog maar twee over. Omdat er jarenlang veel slechte whisky werd verkocht, werd de naam Campbeltown geassocieerd met slechte kwaliteit, en in de whiskybranche wordt er nu eenmaal op kwaliteit beoordeeld. Glen Scotia, dat in de afgelopen 100 jaar regelmatig is gesloten en opnieuw geopend, ligt stil sinds 1994. Men zegt dat het spookt in de distilleerderij. Het proefrapport betreft een 21 jaar oude 40%.

"Heel koppig."

AROMA'S: Zoet, fruitig, bloemen.

SMAKEN: Zwaar, vettig, turfachtig, dik.

Glendronach

Highland (Speyside)

LEEFTIJD BIJ BOTTELEN:
12 jaar oud, 18 jaar oud, 20 jaar
oud; ook verschillende hout-
soorten. Voor traditionele
bottelingen worden eiken-
houten en sherryvaten
gebruikt, voor andere alleen
sherryvaten.

ALCOHOLGEHALTE: 10 jaar
oud 40%; onafhankelijke bottelingen met uiteenlopend
gehalte.

Hier veel traditionele
elementen, zoals vloermouten,
op kolen verhitte ketels, etc.,
hoewel de distilleerderij tegen
het eind van de jaren '60 werd
gemoderniseerd en uitgebreid.
Veel van deze whisky gaat in
de blended whisky Teacher's.
Het proefrapport betreft een
12 jaar oude op sherryvat
gerijpte single malt.

*"Echt een uitmuntende whisky.
Mooi gepolijst en rond."*

AROMA'S: Fruitig, zoet,
nootachtig, citrus-
sinaasappelschil.

SMAKEN: Toffee, koffie,
rokerig, karamel in de afdronk.
Een goed voorbeeld van hoe
belangrijk het hout is voor het
karakter van de whisky.

Glenfarclas

Highland (Speyside)

LEEFTIJD BIJ BOTTELEN: 10 jaar oud, 12 jaar oud, 15 jaar oud, 21 jaar oud, 25 jaar oud, '105' (cask strength).

ALCOHOLGEHALTE: 10 jaar oud 40%, 12, 21 en 25 jaar oud 43%, 15 jaar oud 46%, *cask strength* 60%.

Al vijf generaties lang is deze distilleerderij het particuliere eigendom van de familie Grant. Glenfarclas is een groot, geavanceerd bedrijf dat beslist een bezoek waard is. Dit was de eerste distilleerderij die 'cask strength' whisky in de handel bracht. Glenfarclas laat nu alle whisky's alleen in sherryvaten rijpen.

25 jaar oud: "Verrukkelijk en belangrijk."

AROMA'S: 12 jaar oud: nootachtig, gras; 17 jaar oud: bloemen, nootachtig, gras; 21 jaar oud: zoet, fruitig, vanille, nootachtig; 25 jaar oud: fruitig, vettig, aarde, nootachtig; '105': heet, kruidig.

SMAKEN: 12 jaar oud: zoet, licht, simpel; 17 jaar oud: heet, erg lang, houtig, beetje rokerig; 21 jaar oud: rokerig, zeer houtig, vlezig, aarde, donkere smaken; 25 jaar oud: zoet, karamel, toffee, vanille, tabak, rokerig, heel soepel; '105': heet, kruidig, peper, droog. Schoolvoorbeelden van aan het rijpingsproces gerelateerde kenmerken. Sommigen houden van de frisheid en pit van jongere whisky, anderen van de cognac- of madera-achtige eigenschappen die bij zeer oude whisky's horen.

Glengoyne

Highland (Southern)

LEEFTIJD BIJ BOTTELEN: 10 jaar oud, 12 jaar oud, 17 jaar oud, 25 jaar oud.

ALCOHOLGEHALTE: 10 jaar oud 40% en 43%; 12 jaar oud en 17 jaar oud 43%; 25 jaar oud 47%.

Glengoyne ligt precies op de denkbeeldige scheidslijn tussen de Highlands en de Lowlands. Nadat het bedrijf ruim 100 jaar aan de famlie Lang had toebehoord, werd het in 1965 gekocht en volledig gemoderniseerd door Robertson & Baxter. De mout voor deze whisky wordt niet boven een turfvuur gedroogd en ook het bronwater bevat geen turf. Waarschijnlijk is dit dus de minst turfachtige van alle single malts. Tijdens het rijpen worden deze whisky's echter donker van kleur, ontwikkelen ze meer laagjes en worden ze complex in de neus en mond. Een groot deel van deze whisky wordt voor het blenden gebruikt. Volgens een plaatselijke legende verstopte Rob Roy zich in een holle boom bij de distilleerderij om aan zijn achtervolgers te ontsnappen.

"Een whisky met een heel prettig gevoel."

AROMA'S: 10 jaar oud: heel licht, fris, helder, een vleugje munt en fruit; 17 jaar oud: bloemen, fruitig, nootachtig.

SMAKEN: 10 jaar oud: beetje zoet, licht, citrus, vleugje peper in de afdronk; 17 jaar oud: zoet, karamel, vanille, houtig in de afdronk.

113

Glenkinchie

glen-kin-sjie

Lowland

LEEFTIJD BIJ BOTTELEN:
10 jaar oud.

ALCOHOLGEHALTE: 40%.

Tot 1989 werd de volledige productie van Glenkinchie verwerkt in blends, maar toen kwam een
10 jaar oude versie in de handel. Deze malt is een
belangrijk bestanddeel in de blended whisky's
van Haig. Glenkinchie is een droge, lichte
whisky vol bloemen. De distilleerderij
heeft een heel leuk museum en
bezoekerscentrum.

"Vrolijk, soepel, aanlokkelijk."

AROMA'S: Kruidig, beetje
heet, helder.

SMAKEN: Gemiddeld
zwaar, kruidig, kara-
mel, vanille, droog
in de mond.

The Glenlivet

Highland (Speyside)

LEEFTIJD BIJ BOTTELEN: 12 jaar oud, 18 jaar oud, 21 jaar oud; enkele onafhankelijke bottelingen, ook speciale edities voor verzamelaars bij de distilleerderij.

ALCOHOLGEHALTE: 12 jaar oud 40%, 18 jaar oud en 21 jaar oud 43%.

Volgens sommigen de beroemdste single malt whisky ter wereld. The Glenlivet werd opgericht in 1824 en was de eerste distilleerderij van Schotland met een vergunning. Dankzij een zeer efficiënt productie-proces en de hoge kwaliteit van de whisky werd The Glenlivet al omstreeks 1860 geëxporteerd. Juist vanwege die kwaliteit begonnen talloze andere distilleerderijen rondom de glen Livet dezelfde naam te voeren. Omstreeks 1880 spanden de eigenaren van de distilleerderij een rechtszaak aan; daarna mochten alleen zij zich The Glenlivet noemen.

"Ziet er mooi uit, heel heel soepel – op alle fronten uitmuntend."

AROMA'S: 12 jaar oud: vettig, fruitig, bloemen, iets geparfumeerd; 18 jaar oud: turfachtig, beetje heet, nootachtig, honing, vanille.

SMAKEN: 12 jaar oud: zoet, fruitig, beetje rokerig, karamel afdronk; 18 jaar oud: rokerig, houtig, tabak, lange, gelaagde afdronk, beetje kruidig.

117

*G*lenlossie

Highland (Speyside)

LEEFTIJD BIJ BOTTELEN: 10 jaar oud.

ALCOHOLGEHALTE: 40%.

Deze distilleerderij uit 1876 werd in 1919 overgenomen door Scottish Malt Distillers Ltd. Nu behoort ze toe aan United Distillers. Het grootste gedeelte van de productie is bestemd voor blended whisky's, maar er zijn ook single malts verkrijgbaar.

"Lekker na het eten – heel licht."

AROMA'S: Geparfumeerd en gras.

SMAKEN: Nootachtig en soepel met een beetje fruit.

Glenmorangie

glen-mor-an-djie

Highland (Northern)

LEEFTIJD BIJ BOTTELEN: 10 jaar oud, 12 jaar oud, 18 jaar oud.

ALCOHOLGEHALTE: 10 jaar oud 40%; 18 jaar oud 43%; 12 jaar oud 56,5%.

Volgens de legende wordt er op de plaats waar Glenmorangie staat al sinds de Middeleeuwen drank geproduceerd. Deze distilleerderij staat ook bekend om haar innovatieve werk, dat al tot verscheidene technische ontwikkelingen heeft geleid, met name op het gebied van stookketels. Er is een serie van 12 jaar oude whisky's verkrijgbaar die zijn afgerijpt op verschillende vaten (sherry, port en madera). Het was heel boeiend om die naast elkaar te proeven. Het proefrapport betreft een 18 jaar oude.

"Fantastisch. Gespierd, maar toch rank."

AROMA'S: Nootachtig, vleugje bloemen, vettig.

SMAKEN: Rokerig, koffie, tabak, vleugje zout in de afdronk, volle smaak.

*G*lenturret

Highland (Southern)

LEEFTIJD BIJ BOTTELEN: 12 jaar oud, 15 jaar oud, 18 jaar oud.

ALCOHOLGEHALTE: 12 jaar oud 40%; 15 jaar oud 50%; 18 jaar oud 40%.

Glenturret en Edradour betwisten elkaar nog steeds om de titel van de kleinste distilleerderij van Schotland. Glenturret werd opgericht in 1775 en werd in 1959 gekocht door James Fairlie. Onder zijn vaardige leiding floreerde de distilleerderij en sleepten de whisky's van Glenturret talloze prijzen in de wacht. In 1981 werd Glenturret gekocht door het Franse Cointreau SA, waarna het bedrijf in 1990 overging naar Highland Distilleries Co. Het proefrapport betreft de 12 jaar oude.

"Heel romig."
"Soepele afdronk."

AROMA'S: Turfachtig, gras, vol.

SMAKEN: Romig en pittig.

Highland Park

Island (Orkney)

LEEFTIJD BIJ BOTTELEN:
12 jaar oud; vele onafhankelijke bottelingen.

ALCOHOLGEHALTE: 12 jaar oud 40%; onafhankelijke bottelingen met uiteenlopend gehalte.

Highland Park staat op de plek waar vroeger de illegale stokerij van Magnus Eunson was. Eunson, een predikant, was de belastingophalers steeds te slim af door zijn whisky op uiterst creatieve wijze te verstoppen. Volgens sommigen was deze distilleerderij al sinds 1790 clandestien actief. In 1824 kwam de vergunning. De turf die voor het mouten wordt gebruikt, komt uit de buurt en wordt eerst vermengd met heide, wat de whisky een duidelijke noot schijnt te geven. Het proefrapport betreft een fles van de distilleerderij met een 12 jaar oude whisky van 43%.

"Dit is lekker!!!"

AROMA'S: Nootachtig, ietsje vettig, turfachtig.

SMAKEN: Rokerig, karamel, fruitig-perzik en citrus, vleugje zout, lange afdronk.

mperial

Highland (Speyside)

LEEFTIJD: Alleen onafhankelijke bottelingen verkrijgbaar.

ALCOHOLGEHALTE: Loopt uiteen.

Imperial vormde samen met Dailuaine en Talisker een groep. Deze distilleerderij is de afgelopen 100 jaar herhaaldelijk gesloten en weer geopend. De whisky werd uitsluitend gebruikt om te blenden. Van tijd tot tijd duikt een onafhankelijke botteling op.

"Drinkt heerlijk weg, niet te explosief."

AROMA'S: Kruidig, beetje nootachtig.

SMAKEN: Klein vleugje vanille.

Inchgower

Highland (Speyside)

LEEFTIJD BIJ BOTTELEN: 14 jaar oud.

ALCOHOLGEHALTE: 43%.

Op deze plek, aan de monding van de rivier de Spey, stond vroeger (sinds 1824) de distilleerderij Tochineal, maar deze werd in 1936 verplaatst naar de kust, omdat men een groter onderkomen zocht en een betrouwbaarder waterbron. Inchgower werd gekocht door Arthur Bell & Sons en werd later onderdeel van United Distillers.

"Perfect slokje voor na de maaltijd."

AROMA'S: Rijk, met vanille.

SMAKEN: Boterachtig en zoet.

*K*nockando

Highland (Speyside)

LEEFTIJD BIJ BOTTELEN: 12 jaar oud, 15 jaar oud, 18 jaar oud, 21 jaar oud.

ALCOHOLGEHALTE: 12 jaar oud en 15 jaar oud 40%; 18 jaar oud en 21 jaar oud 43%.

Deze distilleerderij, die bestaat sinds 1904, werd in 1952 overgenomen door de producenten van J & B. Een groot deel van de productie wordt verwerkt in blended whisky's, maar de distilleerderij heeft een vrij grote capaciteit, zodat er genoeg overblijft voor de detailhandel. De whisky wordt niet na een specifieke periode gebotteld, maar zodra de *distillery manager* vindt dat de drank daar aan toe is. Op het etiket staat zowel de distillatiedatum als de bottelings-datum. Er is ook een 'Extra Old Reserve', een 21 jaar oude whisky, die soms zelfs iets ouder dan 21 jaar blijkt te zijn. Een whisky die over zijn leeftijd liegt...

"Zacht en toegankelijk."

AROMA'S: Kruidig, nootachtig, beetje heet in de neus.

SMAKEN: Licht, peper, heldere afdronk.

*L*agavulin

la-ga-voe-lin of lagga-voelin

Islay

LEEFTIJD BIJ BOTTELEN: 10 jaar oud,
15 jaar oud, 16 jaar oud.

ALCOHOLGEHALTE: 10 jaar oud 40%;
15 jaar oud 64,4%; 16 jaar oud 43%.

Men zegt dat er op deze plek al in 1742
werd gestookt. De distilleerderij, die nu
Lagavulin heet, werd in het begin van de
vorige eeuw gebouwd, waarschijnlijk
omstreeks 1820. Het merendeel van de
productie is bestemd voor blends. In het
begin was de meeste Lagavulin de basis
voor White Horse blended whisky. Het
proefrapport betreft de 16 jaar oude single
malt.

"Doet me aan de zee denken."

AROMA'S: Turf, jodium, bloemen.

SMAKEN: Rokerig, heel turfachtig, zilt,
vol.

BY APPOINTMENT TO
HER MAJESTY THE QUEEN
SCOTCH WHISKY DISTILLERS
E HORSE DISTILLERS LTD GLASGOW

I
S
L
A

AGAVULIN
DISTILLERY
STD·1816 ISLA
REGISTERED
Machie

AVULIN

LAY MALT WHISKY

16 YEARS

CH WHISKY

r rocky falls, steeped in mountain air and
and matured in oak casks exposed to the sea
and smoky character. Time, say the Islanders,
IRE but *LEAVES IN THE WARMTH*

INABHAL" – By William Black – "I hef been in Isla
and I hef

Laphroaig

la-froig

Highland (Northern)

LEEFTIJD BIJ BOTTELEN: 10 jaar oud en
15 jaar oud.

ALCOHOLGEHALTE: 10 jaar oud 40%; 15 jaar
oud 43%.

Deze distilleerderij uit 1820 produceert een
zeer individuele whisky. Volgens de
plaatselijke bevolking zorgt de nabijheid van
de oceaan voor een duidelijk zilte invloed in
de whisky. Veel producenten zeggen dat de
uitwisseling van zoute lucht en de whisky in
het vat deze unieke smaak geeft. De mensen
van Laphroaig houden het op het hoge
mosgehalte in de turf die voor het mouten
wordt gebruikt. Een ander opvallend detail
dat bijdraagt aan het aparte karakter van deze
distilleerderij is dat de eigenaar het bedrijf in
1954 naliet aan Bessie Williamson, de
secretaresse. Zij leidde het bedrijf met veel
succes tot aan haar pensionering in 1972.

"Geen tussenweg: heerlijk of afschuwelijk."

AROMA'S: 10 jaar oud: turfachtig, rokerig,
medicinaal; 15 jaar oud: medicinaal,
turfachtig, citrus.

SMAKEN: 10 jaar oud: jodium, rokerig, intens
zilt, scherpe afdronk; 15 jaar oud: beetje zoet,
peper, rokerig, lange, zoetzure afdronk.

*L*inkwood

Highland
(Speyside)

LEEFTIJD BIJ BOTTELEN:
12 jaar oud.

ALCOHOLGEHALTE: 40%.

Linkwood werd gebouwd
in 1821 en uitgebreid tegen
1870. Het gerucht gaat dat
een van de stokers er zo
zeker van was dat de
kleinste verandering in de
stookruimte het karakter
van de whisky zou
beïnvloeden, dat er zelfs
geen spinnenweb mocht
worden verwijderd.

"Licht als een veertje."

AROMA'S: Zoet, vaag
turfaroma.

SMAKEN: Karamel, zoetig,
heel helder.

750ml

40%alc/vol
(80Proof)

PRODUCT OF   SCOTLAND

YEARS **15** OLD

Linkwood

SINGLE
HIGHLAND MALT

Scotch Whisky

·

PROPRIETORS
JOHN McEWAN & CO. LTD.

BONDED AND BOTTLED BY
GORDON & MACPHAIL · ELGIN

UNBLENDED   POT STILL

Littlemill

Lowland

LEEFTIJD BIJ BOTTELEN: 8 jaar oud; enkele onafhankelijke bottelingen.

ALCOHOLGEHALTE: 8 jaar oud 40% en 43%.

Dit zou wel eens de oudste distilleerderij van de Lowlands kunnen zijn. Het schijnt dat hier al sinds de 14e eeuw drank wordt geproduceerd – eerst gebrouwen en later gedistilleerd. De meeste whisky gaat naar blends, maar er is ook wat single malt gebotteld. Littlemill is nu gesloten.

"Eerst ontploft hij, daarna wordt hij soepel."
"Smaakt naar butterscotch."

AROMA'S: Kruidig, heet, vleugje noten.

SMAKEN: Zoet, vanille, karamel, perzik, beetje peper in de afdronk.

Loch Lomond-Inchmurrin

Highland (Southern)

LEEFTIJD BIJ BOTTELEN: 9 jaar oud, 10 jaar oud, 12 jaar oud, 17 jaar oud, 20 jaar oud, 28 jaar oud.

ALCOHOLGEHALTE: 9 jaar oud 64%; 10 jaar oud 40%; alle andere 43%.

Loch Lomond-Inchmurrin werd operationeel in 1966. De distilleerderij is gevestigd in een oude drukkerij op de denkbeeldige scheidslijn tussen Highland en Lowland. De ketels zijn speciaal ontworpen om whisky van uiteenlopende zwaarte te produceren. Naast Inchmurrin produceert de distilleerderij ook een sterkere whisky, Rhosdhu genaamd.

"Dit spul is heel bizar."

AROMA'S: Rubberachtig, nootachtig, kaas in de neus.

SMAKEN: Heet, beetje groen, houtig, sterk, onevenwichtig karakter.

*L*ongmorn

Highland
(Speyside)

LEEFTIJD BIJ BOTTELEN:
12 jaar oud, 15 jaar oud.

ALCOHOLGEHALTE: 12 jaar
oud 40%; 15 jaar oud 45%.

Longmorn werd opgericht in
het jaar 1897 en werd in 1970
samen met Glen Grant door
The Glenlivet gekocht.
Longmorn is Gaelic voor 'de
plaats van de heilige man'. De
distilleerderij staat op een plek
waar vroeger mogelijk een
oude kapel heeft gestaan. Het
proefrapport betreft de 15 jaar
oude single malt.

*"Geen opvallend karakter,
maar drinkt lekker weg."*

AROMA'S: Karamel.

SMAKEN: Zoet.

DISTILLED AND BOTTLED IN SCOTLAND
PRODUCE OF SCOTLAND

LONGMORN

Highland Single Malt
SCOTCH WHISKY

This outstanding single malt whisky is produced only at the
Longmorn distillery, which stands on the site of an ancient abbey,
in the heart of the Scottish Highlands.

IMPORTED BY LONGMORN DISTILLING CO, NY, NY

MATURED IN OAK CASKS
AGED
15
YEARS

750 ML

ALC. 45%
BY VOL

The Macallan

Highland (Speyside)

LEEFTIJD BIJ BOTTELEN: 7 jaar oud, 10 jaar oud, 12 jaar oud, 18 jaar oud, 25 jaar oud.

ALCOHOLGEHALTE: 7 jaar oud en 10 jaar oud 40%; alle andere 43%.

The Macallan kreeg in 1824 een officiële vergunning om whisky te produceren en belasting te betalen. Op dezelfde plek werd vroeger illegaal gestookt – een prachtige, beschutte plek met overvloedige voorraden turf, gerst en water. De distilleerderij werd overgenomen door Roderick Kemp. Zijn nakomelingen zijn nog steeds betrokken bij The Macallan. Markante eigenschappen van deze distilleerderij zijn onder andere het gebruik van kleine, hoekige, koperen *pot stills* en het gebruik van eikenhouten sherryvaten. Die sherry onderscheidt The Macallan van de andere distilleerderijen, die vaten voor bourbon, port of madeira gebruiken. Vroeger waren sherryvaten heel gewoon, omdat de sherry die vanuit Spanje naar Engeland werd vervoerd, in vaten aankwam, en het te duur was om die vaten weer leeg terug te sturen. Whiskyproducenten kochten ze voor een grijpstuiver en gebruikten ze voor het rijpen van de whisky. Eikenhouten vaten waar sherry in heeft gezeten, met name droge oloroso, verlenen rijpende whisky de heerlijkste aroma's en smaken. Omdat sherry sinds een aantal jaren in roestvrijstalen containers wordt verscheept, moet deze distilleerderij nu speciaal sherryvaten bestellen.

In het voorjaar van 1997 vonden twee belangrijke gebeurtenissen plaats: ten eerste werd in een gezonken schip een fles Macallan uit 1874 ontdekt en op een veiling verkocht (aan de distilleerderij zelf). Een replica van die 1874 werd in de handel gebracht. Ten tweede werd de distilleerderij overgenomen door Highland-Suntory.

"Favoriet." "Mijn favoriet." "Absoluut de beste." "Mijn absolute favoriet."

AROMA'S: 12 jaar oud: fruitig, sherry, vanille; 18 jaar oud: karamel, toffee, vleugje rook, nootachtig. De gedenkwaardige 1874: sinaasappelmarmelade, vanille, pure chocola.

SMAKEN: 12 jaar oud: citrus, vleugje zout, vleugje rook, lange, vettige afdronk; 18 jaar oud: soepel, complex, vanille, karamel, tabak, nootachtig, lange afdronk met laagjes. Zwaar, chocola, sinaasappel, stroop, lange, donkere afdronk.

Mortlach

Highland (Speyside)

LEEFTIJD BIJ BOTTELEN: Verschillende onafhankelijke bottelingen, o.a. 12 jaar oud, 15 jaar oud, 21 jaar oud, 22 jaar oud.

ALCOHOLGEHALTE: 12 jaar oud, 15 jaar oud en 21 jaar oud 40%; 22 jaar oud 46% en 65% (natuurlijke vatsterkte).

"Ay, I love the dram that comes from over the bowl-shaped valley." Een veelgehoorde opmerking in Dufftown omstreeks 1824. Mortlach is Gaelic voor komvallei. De naam is nu een schilderachtige herinnering aan de bijzondere relatie tussen whisky en geografie. Mortlach is een belangrijk ingrediënt voor verscheidene blends, waaronder Johnnie Walker Red Label. Deze grote, in 1903 gemoderniseerde distilleerderij is sinds 1823 onafgebroken operationeel geweest (afgezien van een korte onderbreking in de Tweede Wereldoorlog). Het proefrapport betreft een botteling van Gordon & MacPhail van 15 jaar.

"Mooie structuur, de smaak ontvouwt zich echt."

AROMA'S: Licht, fris, fruitig.

SMAKEN: Rokerig, houtig, vleugjes vanille, karamel. Meer gelaagd dan de neus doet vermoeden.

North Port

Highland (Eastern)

Leeftijd bij bottelen: 13 jaar oud, onafhankelijke botteling van Glen Haven.

Alcoholgehalte: 64%.

North Port werd omstreeks 1820 opgericht door een boer. De distilleerderij is genoemd naar de noordelijke poort in de oude stadsmuren. North Port is in 1983 gesloten en gesloopt.

"Heet, héél heet; niet al te gaaf."

Aroma's: Medicinaal, rook, citrusschil.

Smaken: Rubberachtig.

Oban

Highland (Western)

Leeftijd bij bottelen: 12 jaar oud, 14 jaar oud.

Alcoholgehalte: 12 jaar oud 40%; 14 jaar oud 43%.

Men zegt dat Oban al operationeel is sinds 1794. Deze duurzame kracht komt tot uiting in de bijzondere, complexe single malts. De distilleerderij is het eigendom van Scottish Malt Distillers Ltd. en was in 1968 één jaar gesloten. Het proefrapport betreft het 12 jaar oude drankje.

"Dit is een zeer smaakvolle, rokerige single malt."

Aroma's: Nootachtig, rokerig, kruidig.

Smaken: Rokerig en soepel.

145

Old **Fettercairn**

Highland (Eastern)

LEEFTIJD BIJ BOTTELEN: 10 jaar oud, onafhankelijke botteling van Distillers.

ALCOHOLGEHALTE: 43%.

Old Fettercairn produceert al whisky sinds 1824 (of nog langer). Sir John Gladstone, de vader van oud-premier William Gladstone, was ooit voorzitter van het bestuur van deze distilleerderij. Zoon William zorgde er tijdens zijn politieke carrière voor dat gebottelde whisky aan burgers mocht worden verkocht.

"Heel lange afdronk, prachtig evenwicht."

AROMA'S: Meloen, banaan.

SMAKEN: Honing, banaan, zoet.

Old Pulteney

Highland (Speyside)

LEEFTIJD BIJ BOTTELEN: 8 jaar oud, 12 jaar oud, 18 jaar oud.

ALCOHOLGEHALTE: 8 jaar oud 40%; 12 jaar oud 43%; 18 jaar oud 59,1%.

James Henderson richtte Pulteney op in 1826. Tussen 1926 en 1951 lag de zaak stil. In 1955 kocht Hiram Walker het bedrijf, en sindsdien wordt Pulteney vrijwel uitsluitend gebruikt voor blended whisky's, hoewel er een 8 jaar oude single malt in de handel is. Die hebben wij geproefd.

"Licht en fris, zeker het proberen waard."

AROMA'S: Iets kruidige, zoete neus.

SMAKEN: Turfachtig en iets rokerig.

Port Ellen

Islay

LEEFTIJD BIJ BOTTELEN: 14 jaar oud.

ALCOHOLGEHALTE: 43%.

Deze distilleerderij, die dateert van 1825, lag stil van 1929 tot 1966. In 1967 volgde een ingrijpende renovatie, waarna er vier stookketels waren. De mouterij levert nog steeds aan veel distilleerderijen in Islay, maar Port Ellen produceert zelf niet meer sinds 1983.

"Een rijk, lekker slokje."

AROMA'S: Turfachtig, rokerig, benzineachtig.

SMAKEN: Eikenhout, boter en rook.

Rosebank

Lowland

LEEFTIJD BIJ BOTTELEN: 12 jaar oud, 17 jaar oud.

ALCOHOLGEHALTE: 12 jaar oud 43%; 17 jaar oud 43%.

James Rankine vestigde Rosebank in 1840 in de voormalige Camelon-distilleerderij. Zijn zoon verbouwde de zaak in 1864. Tijdens het productieproces van Rosebank wordt de alcohol drie maal gedistilleerd. Rosebank heeft jarenlang een uitstekende reputatie gehad, en was in 1914 zelfs een van de oprichters van Scottish Malt Distillers – nu onderdeel van United Distillers. Rosebank werd in mei 1993 gesloten. Het proefrapport betreft de 12 jaar oude single malt.

"Mooi evenwicht tussen zoet en kruidig."

AROMA'S: Tonen van benzine en gras.

SMAKEN: Turfachtig en vol.

Royal Brackla

Highland (Northern)

LEEFTIJD BIJ BOTTELEN: 10 jaar oud.

ALCOHOLGEHALTE: 43%.

Nadat koning William IV in 1835 van deze whisky had geproefd, mocht Brackla het voorvoegsel 'Royal' toevoegen aan zijn naam. In 1898 ontstond de Brackla Distillery Company en werd van de Earl of Cawdor een stuk land aangekocht, vlak bij Cawdor Castle, om te kunnen uitbreiden. Na verscheidene nieuwe eigenaren werd de distilleerderij in 1965 gemoderniseerd. Er werden stoomketels met een inhoud van 5000 gallons geplaatst.

"Rokerig en aangenaam, heel lekker."

AROMA'S: Helder, fruitig en turfachtig.

SMAKEN: Een zoete, maar evenwichtige volheid.

Royal Lochnagar

Highland (Eastern)

LEEFTIJD BIJ BOTTELEN: 12 jaar oud en 'Selected Reserve' (zonder leeftijd).

ALCOHOLGEHALTE: 12 jaar oud 40%; Reserve 43%.

Lochnagar is hofleverancier sinds de tijd van koningin Victoria, vandaar de toevoeging 'Royal'. De distilleerderij werd in 1845 opgericht door John Begg. Veel van deze whisky wordt verwerkt in blends. Verschillende individuele vaten van verschillende leeftijden worden soms gebotteld en verkocht als Royal Lochnagar 'Selected Reserve'.

"Verbluffend lang." "Uitstekend, vrolijk, blij."

AROMA'S: Bloemen, fruitig, goed aromatisch.

SMAKEN: Peper, vleugje vanille, houtig, heel doordringend, lange afdronk.

Scapa

Island (Orkney)

LEEFTIJD BIJ BOTTELEN: Niet langer operationeel. Verscheidene onafhankelijke bottelingen: 8 jaar oud, 10 jaar oud, 14 jaar oud.

ALCOHOLGEHALTE: 40%.

Deze distilleerderij werd opgericht in 1885 en produceerde whisky tot 1993. Het proefrapport betreft een 10 jaar oude, onafhankelijke botteling.

"Hiermee zou ik op een koele zomeravond op het strand willen zitten."

AROMA'S: Vettige neus, beetje fruit en vanille.

SMAKEN: Karamel en vanille, vettige afdronk.

The Singleton
(of Auchroisk)

ok-roisk

Highland (Speyside)

LEEFTIJD BIJ BOTTELEN: 10 jaar oud, 12 jaar oud.

ALCOHOLGEHALTE: 10 jaar oud 43%; 12 jaar oud 59,3%.

De eigenaren van deze distilleerderij, International Distillers and Vintners, bouwden haar in 1974 voornamelijk als extra leverancier van single malt voor hun blended whisky's. The Singleton is hun alom geprezen single malt. Dit blijft een individueel product naast de grote Auchroisk-productie die wel 1,5 miljoen gallons per jaar kan bedragen.

"Verrukkelijk en bevredigend. Een echte topper."

AROMA'S: Fris, fruitig en zoet; beetje rokerig.

SMAKEN: Romig, koffie en zoet.

Strathisla

strath-aai-la

Highland (Speyside)

LEEFTIJD BIJ BOTTELEN: 12 jaar oud en vele onafhankelijke bottelingen.

ALCOHOLGEHALTE: 12 jaar oud 43%; onafhankelijke bottelingen met uiteenlopend gehalte.

Strathisla is gevestigd sinds 1786 en beweert de oudste distilleerderij van Schotland te zijn. Vroeger heette dit bedrijf Milton; pas in de jaren '50 werd die naam veranderd in Strathisla. Men zegt dat de bron die de distilleerderij van water voorziet, al meer dan 600 jaar wordt gebruikt door brouwers en distilleerders in de streek. Veel van de productie wordt voor blended whisky gebruikt, met name voor Chivas Regal.

"Zeer intens en gelaagd."

AROMA'S: Kruidig, beetje heet, veel nootaroma's.

SMAKEN: Rokerig, houtig, nootachtig, lange en vrij zware afdronk.

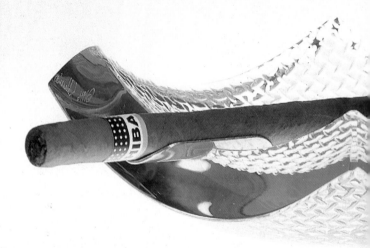

Strathisla Distillery KEITH · Scotland · Estd 1786

"STRATHISLA"
PURE HIGHLAND MALT
SCOTCH WHISKY
THE OLDEST DISTILLERY IN THE HIGHLANDS

AGED **12** YEARS

ML.

ALC. 43%
BY VOL

DISTILLED AND BOTTLED BY CHIVAS BROTHERS LTD., STRATHISLA DISTILLERY, KEITH, BMSS SHR, SCOTLAND
IMPORTED BY CHIVAS BROS. IMPORT CO., NEW YORK, N.Y.
PRODUCE OF SCOTLAND

Talisker

Island (Skye)

LEEFTIJD BIJ BOTTELEN: 10 jaar oud.

ALCOHOLGEHALTE: 45,8%.

Talisker, de enige distilleerderij op het eiland Skye, is een schitterend voorbeeld van het 'zeewierachtige' karakter dat eilandmalts hebben.

"Smaakt naar hickoryhout."
"Grote klasse."
"Smaakt naar pleisters." (= synoniem voor rokerig)

AROMA'S: Aarde, donker, rokerig.

SMAKEN: Zeer turfachtig, houtig, rokerig, zilt, lange afdronk.

ISLE OF SKYE

TALISKER

SINGLE MALT SCOTCH WHISKY

Uig

SKYE

Portree

Talisker
Distillery

The Cuillins

*Beyond Carbost Village
close to the Shore is a
gentle haven sheltered
from the bleak ravines
which sweep down to
the coast.
Here in the shadow of the
distant Cuillin Hills lies
the islands only distillery
Talisker.
The Golden Spirit of Skye
has more than a hint of
boral seaweed peppered
with sour & sweet notes
and a memorable warm
peaty finish.*

45.8% alc/vol   750ml

TALISKER DISTILLERY CARBOST SKYE

USA DISTRIBUTOR IN USA, SCHIEFFELIN & SOMERSET CO. NEW YORK, N.Y. PRODUCT OF SCOTLAND

ESTABLISHED
1830
TALISKER
DISTILLERY
ISLE OF SKYE

Tamdhu

tam-doe

Highland
(Speyside)

LEEFTIJD BIJ BOTTELEN:
10 jaar oud, zonder leeftijd,
verscheidene onafhankelijke
bottelingen.

ALCOHOLGEHALTE: Zonder
leeftijd en 10 jaar oud 40%.

Deze in Engeland en Schotland
zeer populaire distilleerderij
mout haar eigen gerst. Tamdhu
lag tussen 1927 en 1947 stil,
waarna het bedrijf geleidelijk
groeide. Een grondige modernisering vond plaats in de jaren '80.

_"Dit is een kolfje naar mijn hand,
precies wat ik zoek."_
_"Mooie lange, evenwichtige
afdronk."_

AROMA'S: Fruitig, bloemen.

SMAKEN: Zoet, rokerig, honing
en kruidig.

*T*amnavulin-
*G*lenlivet

Highland (Speyside)

LEEFTIJD BIJ BOTTELEN: 10 jaar oud, 18 jaar oud.

ALCOHOLGEHALTE: 10 jaar oud 40%; 18 jaar oud 46%.

Tamnavulin is Gaelic en betekent 'molen op de heuvel'. Deze distilleerderij is in 1966 naast een oude molen gebouwd, in de heuvels aan de voet van de Cairngorm Mountains. Wij proefden een 10 jaar oude single malt.

"Een heerlijke malt voor elk moment van de dag."

AROMA'S: Bloemen in de neus, licht.

SMAKEN: Turfachtig, eikenhout en nootachtig.

Tobermory

Island (Mull)

LEEFTIJD BIJ BOTTELEN:
Zonder leeftijdsaanduiding.

ALCOHOLGEHALTE: 43,4%.

Dit is de enige distilleerderij op het eiland Mull.
Ze is sinds haar oprichting herhaaldelijk gesloten
en heropend. In 1989 werd ze weer gesloten, en
in 1993 ging ze weer open. Oudere voorraden
duiken soms op onder het merk Ledaig (niet
geproefd).

"Aangenaam met een iets explosieve afdronk."

AROMA'S: Gras, munt.

SMAKEN: Groene munt.

*T*omatin

Highland (Northern)

LEEFTIJD BIJ BOTTELEN: 10 jaar oud.

ALCOHOLGEHALTE: 43%.

Tomatin, een van Schotlands grootste distilleerderijen, was in 1985 de eerste die door Japanners werd overgenomen. In 1897 werd dit bedrijf opgericht door de Tomatin Spey District Distillery Co. Ltd. en groeide het van vier ketels in 1956 naar 23 ketels in 1974. Het leeuwendeel van de malt is bestemd voor blends en de export, maar er is ook een single malt in de handel.

"Glijdt heerlijk weg, met een miniem vleugje zoetigheid."

AROMA'S: Licht en zoet.

SMAKEN: Rokerig, gemiddeld vol, soepel.

Tomintoul-Glenlivet

Highland (Speyside)

LEEFTIJD BIJ BOTTELEN: 8 jaar oud, 12 jaar oud.

ALCOHOLGEHALTE: 8 jaar oud 40%; 12 jaar oud 43%.

Twee whiskyhandelaren uit Glasgow richtten in 1964 Tomintoul op, in het hoogst gelegen dorp van de Schotse Hooglanden, vlak bij het Glenlivet-gebied (vandaar de naam). Tomintoul produceert in totaal een miljoen gallons per jaar. De oprichters gingen al snel samen met White & Mackay Ltd. en leveren dan ook een groot deel van hun productie voor de blends van dat bedrijf. Het proefrapport betreft de 12 jaar oude single malt.

"Zeer licht en soepel."

AROMA'S: Zoet, vanille en fruitig.

SMAKEN: Rokerig en helder; iets kruidige afdronk.

Tullibardine

Highland (Southern)

LEEFTIJD BIJ BOTTELEN: 10 jaar oud.

ALCOHOLGEHALTE: 40%.

In 1949 werd Tullibardine gevestigd in een 17e-eeuwse brouwerij. De distilleerderij werd in 1972 overgenomen door Invergordon Distillers Ltd. De whiskyproductie ondervindt een bijzonder gunstige invloed van het uitstekende water dat uit het nabijgelegen Moor of Tullibardine komt.

"Licht en iets rokerig."

AROMA'S: Vol en fruitig.

SMAKEN: Kruidig, rond; peperachtige afdronk.

Blended whisky's

Vóór 1853 was single malt whisky eigenlijk *de* borrel voor Schotten die van een slokje hielden. De whiskyhandelaar Andrew Usher is degene geweest die alles op zijn kop zette door blended whisky uit te vinden.

Terwijl malt whisky (meestal) van 100% gemoute gerst wordt gemaakt, bevat een blend 20-50% malt whisky en voor de rest graanwhisky. Graanwhisky verschilt van malt whisky doordat het niet alleen van gerst wordt gemaakt, maar ook van een aantal verschillende (goedkopere) graansoorten. Bovendien wordt graanwhisky geproduceerd in een stookketel die continu doorloopt, anders dan de *pot still*. Graanwhisky is in vergelijking tot malt whisky nogal licht en smakeloos – op zich niet erg lekker, maar ideaal om te mengen met sterkere whisky.

Zodra de wereld had kennisgemaakt met blended whisky, werd dit om uiteenlopende economische, sociale en esthetische redenen een synoniem voor whisky. Het gemakkelijke productieproces, het smaakprofiel en de consistente kwaliteit vielen goed bij de consument, en dat bleef zo tot ver in de jaren '80. Pas toen begonnen de verkoopcijfers iets te dalen. Die trend heeft zich voortgezet, zelfs in de verkoop van sterke drank in het algemeen, maar vreemd genoeg is de markt voor single malt whisky in diezelfde periode exponentieel gegroeid. Waarom? Smaken veranderen. Ook bij liefhebbers treedt sleur en verveling op. Ze gaan op zoek naar nieuwe sensaties, en de koplopers ontdekken de rijkere genoegens van single malts, waarna de zucht naar consistentie plaats maakt voor een gevoel van avontuur.

Een blender heeft tijdens zijn werk geen plaats voor avontuur. Zijn primaire taak is om alle eigenschappen die rieken naar regionalisme, intensiteit, scherpte of elke andere kwaliteit die te 'individueel' kan worden gevonden, uit te wissen. Daarom neemt hij een scheut van een Highland whisky (voor de smaak), een scheut Island whisky (voor het aroma) en een scheut Lowland whisky (voor de volheid). Er zitten soms wel 50 single malts in een blend; tijdens het schrijven van dit boek is er een nieuwe 'boutique blend' geïntroduceerd waarin 100 single malts waren gemengd. De beste blenders hebben hun eigen recept; de een voegt zijn vooraf bepaalde percentage graanwhisky op een bepaald moment toe, de ander doet dat pas later. Even flink roeren en hop, in het vat. De een laat zijn whisky een paar maanden rijpen, de ander kiest voor 3-4 jaar om de smaken te 'huwen'. Deze jaren oude en uiterst geheime recepten worden minutieus aangehouden, zodat jaar in, jaar uit dezelfde consistente blends worden geproduceerd, die de consument al kan proeven voordat ze zijn ingeschonken.

Denk vooral niet dat ik mijn neus ophaal voor blended whisky. Integendeel. Ik vind, zoals u zult merken in de nu volgende proefrapporten, dat al dat zoeken en experimenteren om consistentie te bereiken, een aantal heel goede blended whisky's heeft opgeleverd. Alleen heb ik, dankzij mijn onderzoek voor dit boek, ontdekt hoe geweldig het kan zijn om een single malt whisky te drinken; en waarom zou je genoegen nemen met een lekkere borrel als je ook de ware grootsheid kunt ontdekken in de vorm van je favoriete single malt?

Blended whisky's vergelijken

Dewar's
"Een smaakvolle, lekkere en toegankelijke drank."
AROMA'S: Vaag peperachtig, mild.
SMAKEN: Iets zoet.

Chivas Regal
"Vluchtig, veel warmte in de neus, echt lekker."
AROMA'S: Noot van hout, ceder.
SMAKEN: Koffie, toffee, rijk en boterachtig.

Black Label
"Ik vind het lekker."
"Zeer vluchtig."
AROMA'S: Peperachtig, kruidig.
SMAKEN: Benzine, peper.

The Famous Grouse
"Heel fris in de neus."
"Zacht in de mond, simpel."
AROMA'S: Beetje gras, licht.
SMAKEN: Mooi evenwicht.

The Famous Grouse – Gold Reserve
"Explodeert met kruidige knal."
AROMA'S: Fris, sinaasappel-schil, specerijen.
SMAKEN: Sinaasappel, kaneel, specerijen.

onderzoek

*B*lended whisky

Hieronder een lijst van de populairste blended whisky-merken die verkrijgbaar zijn, met hun leeftijd en alcoholgehalte erbij.

Ballantine	17 jaar oud	43%
Ballantine	30 jaar oud	43%
Ballantine Finest		43%
Ballantine Gold Seal	12 jaar oud	43%
Barrister		40%
Bellows		40%
Black & White		40%
Black Bull		50%
Buchanan's	12 jaar oud	40%
Buchanan's Deluxe	18 jaar oud	40%
Bullock & Lade (B&L)		40%
Chivas Regal	12 jaar oud	40%
Clan MacGregor		40%
Claymore		40%
Cluny		40%
Crawford's		40%
Crown Sterling		40%
Cutty Sark		40%
Desmond & Duff	12 jaar oud	40%
Dewar's	12 jaar oud	40%
Dewar's White Label		40%
Glenandrew	10 jaar oud	
Glenandrews	15 jaar oud	
Glenandrew	20 jaar oud	
Grand Macnish		40%
Grand Old Parr Deluxe	12 jaar oud	43%
Grant's Blended		40%
Grant's Decanter Toby Jug	25 jaar oud	43%
Haig & Haig Dimple Pinch	15 jaar oud	43%
Hankey Bannister		43%
Hartley Parker's		40%
Harvey's		40%
Heather Glen		40%

House of Stuart	4 jaar oud	40%
Inver House Rade		40%
Inverarity Blended		40%
J & B Rare		40%
J & B Select		40%
J & B J.E.T.	15 jaar oud	43%
J.W. Dant		40%
John Barr Gold Label		40%
John Barr Special Reserve	Black Label	43%
John Begg Blue Cap		43%
John Player		40%
Johnnie Walker Black Label	12 jaar oud	43,4%
Johnnie Walker Blue Label		40%
Johnnie Walker Red Label		40%
Johnnie Walker Gold Label	18 jaar oud	
King George IV		40%
King William IV		40%
Legacy		40%
McColl's		40%
McGregor Perfection		40%
Old Smuggler		40%
Lauder's		40%
Passport		40%
Peter Dawson Special		40%
Piper 100		40%
Poland Spring		40%
Queen Anne		40%
Royal Salute		40%
Royal Salute	21 jaar oud	40%
Scoresby Very Rare		40%
Teacher's Highland Cream		40%
The Famous Grouse		40%
The Famous Grouse Gold Reserve		40%
Usher's Green Stripe		41%
White Horse		40%
Whiteside		43,4%

Single Malt whisky

Nu de single malts steeds populairder worden, hebben de betere restaurants vaak een aparte lijst met whisky's op hun drankenkaart staan. Keens Steakhouse, een begrip in New York, heeft een van de beste kaarten die we zijn tegengekomen.

Keens STEAKHOUSE

SINGLE MALT SCOTCHES

SCOTCH	YEARS AGED	PRICE
HIGHLAND MALTS		
	20	12.00
ARDBEG	10	9.50
BALBLAIR	22	20.00
CLYNELISH	1974	15.50
DALLAS DHU	12	8.00
DALMORE	26	15.00
DALMORE STILLMANS DRAM	15	9.50
DALWHINNIE	10	9.00
EDRADOUR	NV	6.75
GLEN EDEN	10	9.00
GLENGOYNE	17	12.50
GLENGOYNE	1967	24.00
GLENGOYNE	1983	9.00
GLENKEITH	25	23.00
GLENLOCHY	10	7.50
GLENMORANGIE	18	10.50
GLENMORANGIE	12 *PORT*	15.00
GLENMORANGIE	12 *SHERRY*	10.00
GLENMORANGIE	12 *MADEIRA*	10.00
GLENMORANGIE	1971	26.50
GLENMORANGIE	1974	14.00
GLEN ROTHES	1979	11.00
GLEN ROTHES	10	7.50
INCHMURRIN	10	8.00
LOCH DHU BLACK	14	9.00
OBAN	10	6.75
OLD FETTERCAIRN	12	9.00
ROYAL LOCHNAGAR	RESERVE	25.00
ROYAL LOCHNAGAR	1971	13.00
TOMINTOUL	10	5.50
TULLIBARDINE		
HIGHLAND/SPEYSIDE		
	1978	11.00
ABERFELDY	10	8.00
ABERLOUR	1970	19.50
ABERLOUR	10	9.50
BALVENIE	12	9.00
BALVENIE	15	10.00
BALVENI	10	9.00
BENRIACH	1982	15.50
BENRIACH	12	8.50
CARDHU	12	9.00
CRAGGANMORE	13	17.00
DUFTOWN	12	9.50
GLENDRONACH	15	10.00
GLENDRONACH	12	6.75
GLENDEVERON	10	7.00
GLENFARCLAS	12	7.50
GLENFARCLAS	25	15.50
GLENFARCLAS	12	7.00
GLENFIDDICH	18	18.00
GLENFIDDICH	12	5.50
GLENFORRES	12	7.00
GLENLIVET	18	11.00
GLENLIVET	12	8.00
GLENTROMIE		

SCOTCH

	YEARS AGED	PRICE

Highland/Speyside—Cont.

Linkwood	21	
Longmorn	1981	13.50
Glen Garioch	8	10.50
Glen Garioch	12	6.75
Glen Garioch	15	7.00
Glen Garioch	21	8.50
Glen Glassaugh	12	13.00
Glen Moray	12	6.75
Glen Ord	12	8.00
Inchgower	1980	9.00
Knockando	1980	10.50
Knockando	18	10.00
Knockando	25	12.50
Macallan	1970	25.00
Macallan	12	27.00
Macallan	18	9.00
Mortlach	25	12.00
Strathisala	22	25.00
Tamdhu	12	19.50
Tormore	10	9.00
	5	7.50
		6.25

Lowland

Auchentoshan	NV	
Auchentoshan	10	7.00
Auchentoshan	21	9.50
Glenkinchie	10	16.50
Inverarity	8	9.00
Little Mill	15	9.00
Prime Malt #1	1974	7.50
Rosebank		8.50
		11.50

Islay

Bruichladdich	10	
Bruichladdich	15	8.50
Bruichladdich	21	10.50
Bowmore Legend	NV	15.50
Bowmore	10	7.50
Bowmore	17	8.50
Bowmore	21	10.50
Bowmore	25	16.50
Bowmore Black	1964	18.50
Bunnahabhain	12	56.00
Laphroaig	10	9.50
Laphroaig	15	9.00
Lagavulin	16	13.00
Port Ellen	16	10.00
		11.50

Campletown

Dram Select	23	
Dram Select	21	16.50
Glen Scotia	12	14.50
Springbank	12	8.50
Springbank 100p	12	10.50
Springbank	15	11.00
Springbank	1979	12.50
Springbank	21	13.00
Springbank	25	15.00
		22.00

Isle of Mull

Tobermory	NV	
Dram Select	21	7.00
		14.50

Old Meldrum

Michel Couvier	15	
		10.50

Island Malts

Highland Park	12	
Scapa	1979	8.50
Scapa	12	10.50
Talisker	10	9.00
		9.50

Irish Single Malt

Bushmills	10	
Bushmills	16	8.00
* Midleton Very Rare	Blend	11.50
		16.50

ALL SCOTCHES SUBJECT TO AVAILABILITY

Glossarium

Afwerken • Een vorm van rijpen. Sommige whisky's worden in een bepaald type vat 'gehuwd' om verder te rijpen.

Beslag • Het beslag bestaat uit fijngemalen gedroogde mout en kokend water.

Blended whisky • Een combinatie van grain en malt whisky's. Blends zijn heel populair omdat ze wat lichter zijn.

Coffey-ketel • (of *patent still*) In tegenstelling tot een *pot still* bestaat deze ketel uit twee zuilen die zonder ze steeds bij te vullen continu doorlopen. Dit proces wordt gebruikt om een lichtere whisky te maken – dus altijd voor blends.

Diastase • Een enzym dat in granen zit en het zetmeel oplosbaar maakt. Bij de volgende stap in de distillatie wordt zetmeel omgezet in suiker.

Draf • De graanresten, meestal van gerst, die in de wortkuip achterblijven. Draf wordt gedroogd en als veevoeder gebruikt.

Graanwhisky • Whisky die in een Coffey-ketel of *patent still* wordt geproduceerd. Hiervoor wordt meestal maïs gebruikt.

Low wines • Het distillaat dat in de eerste ketel van de *pot still* wordt geproduceerd. Het bevat alcohol, andere chemische bestanddelen –zowel zuiver als onzuiver– en een beetje water. De *low wines* worden opnieuw gedistilleerd in de *spirit still*.

Mashing • zie Beslag

Middenloop • (*Middle cut*) Het beste deel van het distillaat uit de tweede ketel – dit wordt bepaald door de stoker. Dit is het enige deel van het distillaat dat wordt gebotteld.

Mout • Elke graansoort waarvan het zetmeel in suiker is omgezet; moutsuiker heet maltose.

Naloop • Het distillaat dat na het middelste (beste) deel komt. Het bevat een hoog alcoholgehalte en veel onzuiverheden; de naloop wordt gemengd met de voorloop en het wort en opnieuw gedistilleerd.

Onafhankelijke bottelaar • Een makelaar of firma die, eventueel op contractbasis, vaten malt whisky's koopt en vervolgens met een eigen etiket bottelt, hoewel de herkomst van de whisky keurig wordt vermeld. Voorbeelden van bekende onafhankelijke bottelaars zijn Cadenheads, Gordon & MacPhail en The Scotch Malt Whisky Society.

Pot still • Twee koperen ketels met krullende buizen bovenlangs, die worden verhit door kolen of stoom. In de eerste ketel, de *wash still*, wordt de gegiste vloeistof verhit tot het kookpunt is bereikt, waarna de damp condenseert. De druppels worden opgevangen. De productie van de eerste ketel komt in de tweede ketel, de *spirit still*, en het resultaat daarvan is malt whisky.

Proef • Het alcoholgehalte van de drank, gemeten met een hydrometer.

Rectificeren • Met een percentage water verdunnen om een uniforme proef te krijgen.

Single malt whisky • De productie van een individuele distilleerderij.

Spirit still • De tweede van de stookketels waarin de geconcentreerde alcohol wordt geproduceerd die vervolgens in vaten wordt gedaan.

Turf • Er zijn twee soorten turf: moerasturf en bosturf. De eerste bestaat uit rotte mossoorten, de tweede uit rotte takken en bladeren. Als turf wordt gebruikt als brandstof om gemoute gerst te drogen, verleent hij de malt whisky een specifieke smaak.

Uisge Beatha • Gaelic voor 'levenswater'. Door de eeuwen heen is deze term ingekort, anders uitgesproken en uiteindelijk veranderd in 'whisky'.

Vat • Een houten container waarin whisky rijpt.

Voorloop • Het eerste deel van het distillaat dat uit de tweede ketel van een *pot still* komt. De voorloop bevat weinig alcohol en veel onzuiverheden en wordt dus niet gebotteld. Ze wordt bewaard en opnieuw gedistilleerd met de naloop.

Wash • Het gegiste wort. Deze vloeistof gaat voor de eerste distillatie in de ketel.

Wash still • De eerste van de twee stookketels waarin Schotse whisky altijd wordt gedistilleerd en waar laag geconcentreerde *low wines* uitkomen.

Wort • De vloeistof die ontstaat door gemoute gerst in heet water te drenken in een grote wortkuip (*mash tun*). Deze vloeistof bevat suikers en andere bestanddelen die na toevoeging van gist worden omgezet in alcohol.

Adressen van distilleerderijen/producenten

Bellen vanuit Nederland:
kies 00-44 en het netnummer zonder de eerste nul.

Aberlour
ABERLOUR, Banffshire
AB38 9PJ
Tel: 01340-871204/285
Fax: 01340-871729

Ardbeg
PORT ELLEN, Islay, Argyll
PA42 7DU
Tel: 01496-302244

Ardmore
KENNETHMONT,
Aberdeenshire, AB54 4NH
Tel: 01464-831213
Fax: 01464-831428

Auchentoshan
DALMUIR, Dunbartonshire
G81 4SG
Tel: 01389-878561
Fax: 01389-877368

Aultmore
KEITH, Banffshire
AB55 3QY
Tel: 01542-882762
Fax: 01542-886467

Balbair
Edderton, TAIN,
Ross-shire IV19 1LB
Tel: 01862-821273
Fax: 01862-821360

The Balvenie
Dufftown, KEITH,
Banffshire AB55 4DH
Tel: 01340-820373
Fax: 01340-820805

Ben Nevis
FORT WILLIAM,
Inverness-shire PH33 6TJ
Tel: 01397-702476
Fax: 01397-702768

Benriach
Longmorn, ELGIN,
Morayshire IV30 3SJ
Tel: 01542-783400
Fax: 01542-783404

Bladnoch
BLADNOCH, Wigtownshire
DG8 9AB
Tel: 01988-402235

Bowmore
BOWMORE, Islay, Argyll
PA43 7JS
Tel: 01496-810441
Fax: 01496-810757

Bruichladdich
BRUICHLADDICH, Islay,
Argyll PA49 7UN
Tel: 01496-850221

Bunnahabhain
PORT ASKAIG, Islay, Argyll
PA46 7RP
Tel: 01496-840646
Fax: 01496-840248

Caol Ila
Port ASKAIG, Islay, Argyll
PA49 7UN
Tel: 01496-840207
Fax: 01496-840660

Caperdonich
ROTHES, Morayshire
AB38 7BS
Tel: 01542-783300

Cardhu
Knockando, ABERLOUR,
Banffshire AB38 7RY
Tel: 01340-810204
Fax: 01340-810491

Clynelish
BRORA, Sutherland
KW9 6LR
Tel: 01408-621444
Fax: 01408-621131

Cragganmore
BALLINDALLOCH,
Banffshire, AB37 9AB
Tel: 01807-500202
Fax: 01807-500288

Dallas Dhu
FORRES, Morayshire IV36
0RR

The Dalmore
ALNESS, Ross-shire, IV 0UT
Tel: 01349-882362
Fax: 01349-883655

Dalwhinnie
DALWHINNIE,
Inverness-shire
PH19 1AB
Tel: 01528-22240
Fax: 01528-522240

Deanston
DOUNE, Pethshire
FK16 6AG
Tel: 01786-841422
Fax: 01786-841439

Dufftown-Glenlivet
Dufftown, KEITH,
Banffshire AB55 4BR
Tel: 01340-820224
Fax: 01340-820060

The Edradour
PITLOCHRY, Perthshire
PH16 5JP
Tel: 01796-473524
Fax: 01796-472002

Glen Garioch
Oldmeldrum, INVERURIE,
Aberdeenshire AB51 0ES
Tel: 01651-872706
Fax: 01651-872578

Glen Grant
ROTHES, Morayshire
AB38 7BS
Tel: 01542-783300
Fax: 01542-783306

Glen Keith
KEITH, Banffshire
AB55 3BU
Tel: 01542-783044
Fax: 01542-783056

Glen Ord
MUIR OF ORD, Ross-shire
IV6 7UJ
Tel: 01463-870421
Fax: 01463-870101

Glen Scotia
12 High Street,
CAMPBELTOWN, Argyll
PA28 6DS
Tel: 01586-552288

The Glendronach
Forgue, HUNTLY,
Aberdeenshire AB54 6DB
Tel: 01466-730202
Fax: 01466-730202

Glenfarclas
Marypark,
BALLINDALLOCH,
Banffshire AB37 9BD
Tel: 01807-500209
Fax: 01807-500234

Glengoyne
DUMGOYNE, Stirlingshire
G63 9LB
Tel: 01360-550229
Fax: 01360-550094

Glenkinchie
PENTCAITLAND, East
Lothian EH34 5ET
Tel: 01875-340333
Fax: 01875-340854

Glenfiddich
Dufftown, KEITH,
Banffshire AB55 4DH
Tel: 01340-820373
Fax: 01340-820805

The Glenlivet
BALLINDALLOCH,
Banffshire AB37 9DB
Tel: 01542-783220
Fax: 01542-783220

Glenlossie
ELGIN, Morayshire IV30 3SS
Tel: 01343-860331
Fax: 01343-860302

Glenmorangie
TAIN, Ross-shire IV19 1PZ
Tel: 01862-892043
Fax: 01862-893862

The Glenturret
The Hosh, CRIEFF,
Perthshire PH7 4HA
Tel: 01764-656565
Fax: 01764-654366

Highland Park
KIRKWALL, Orkney
KW15 1SU
Tel: 01856-873107
Fax: 01856-876091

Imperial
Carron, ABERLOUR,
Morayshire, AB38 7QP
Tel: 01340-810276
Fax: 01340-810563

Inchgower
BUCKIE, Banffshire
AB56 2AB
Tel: 01542-831161
Fax: 01542-834531

Knockando
Knockando, ABERLOUR,
Morayshire AB38 7RD
Tel: 01340-810205
Fax: 01340-810369

Lagavulin
PORT ELLEN, Islay, Argyll
PA42 7DZ
Tel: 01496-302400
Fax: 01496-302321

Laphroaig
PORT ELLEN, Islay, Argyll
PA42 7DU
Tel: 01496-302418
Fax: 01496-302496

Linkwood
ELGIN, Morayshire
IV30 3RD
Tel: 01343-547004
Fax: 01343-549449

Littlemill
BOWLING, Dunbartonshire
G60 5BG
Tel: 01389-874154

Loch Lomond-Inchmurrin
ALEXANDRIA,
Dunbartonshire G83 0TL
Tel: 01389-752781
Fax: 01389-757977

Longmorn
ELGIN, Morayshire IV30 3SJ
Tel: 01542-783400
Fax: 01542-783404

Longrow
CAMPBELTOWN, Argyll
PA28 6ET
Tel: 01586-552085
Fax: 01586-553215

The Macallan
Craigellachie, ABERLOUR,
Banffshire AB38 9RX
Tel: 01340-871471
Fax: 01340-871212

Mortlach
Dufftown, KEITH,
Banffshire AB55 4AQ
Tel: 01340-820318
Fax: 01340-820018

Oban
Stafford Street, OBAN,
Argyll PA34 5NH
Tel: 01631-562110
Fax: 01631-563344

Old Fettercairn
Distillery Road,
LAURENCEKIEK,
Kincardineshire AB30 1YE
Tel: 0161-340244
Fax: 01561-340447

Old Pulteney
Huddart Street, WICK,
Caithness KW1 5BA
Tel: 019555-602371
Fax: 01955-602279

Port Ellen
PORT ELLEN, Islay, Argyll
PA42 7AJ

Rosebank
Camelon, FALKIRK,
Stirlingshire FK1 5BW
Tel: 01324-623325

Royal Brackla
Cawdor, NAIRN,
Nairnshire IV12 5QY
Tel: 01667-404280
Fax: 01667-404743

Royal Lochnagar
Crathie, BALLATER,
Aberdeenshire AB35 5TB
Tel: 01339-742273
Fax: 01339-742312

Scapa
KIRKWALL, Orkney
KW15 1SE
Tel: 01856-872071
Fax: 01856-876585

The Singleton of Auchroisk
MULBEN, Banffshire
AB55 3XS
Tel: 01542-860333
Fax: 01542-860265

Strathisla
KEITH, Banffshire AB55 3BS
Tel: 01542-783049
Fax: 01542-783055

Talisker
CARBOST, Skye IV47 8SR
Tel: 01478-640203
Fax: 01478-640401

Tamdhu
Knockando, ABERLOUR,
Morayshire AB38 7RP
Tel: 01340-810221
Fax: 01340-810255

Tamnavulin-Glenlivet
BALLINDALLOCH,
Banffshire AB37 9JA
Tel: 01807-590285

Tobermory
TOBERMORY, Mull, Argyll
PA75 6NR
Tel: 01688-302645
Fax: 01688-302643

Tomatin
TOMATIN, Inverness-shire
IV13 7YT
Tel: 01808-511444
Fax: 01808-511373

Tomintoul-Glenlivet
BALLINDALLOCH,
Banffshire, AB37 9AQ
Tel: 01807-590274
Fax: 01807-590342

Tullibardine
Blackford,
AUCHTERARDER,
Perthshire PH4 1QG
Tel: 01764-682252